Janis Hendrickson

Roy Lichtenstein

De ironie van het banale

Taschen/Librero

OMSLAG:
De kus, 1962
The Kiss
Olieverf op linnen, 203,2 x 172,7 cm
Kansas City (Missouri), collectie Ralph T. Coe

FRONTISPICE:
Twee schilderijen: Dagwood, 1983
Two Paintings: Dagwood
Olieverf en magna op linnen, 228,6 x 162,6 cm
Privécollectie

© 1990 Benedikt Taschen Verlag GmbH & Co. KG
Balthasarstr. 79, D-5000 Keulen
© 1988, voor de afbeeldingen: Roy Lichtenstein
Produktie en distributie Nederland:
Librero Nederland b.v., Postbus 79, 5320 AB Hedel
Omslagontwerp: Peter Feierabend, Berlijn
Reprodukties: Repro Color, Bocholt
Vertaling: Jan Wynsen
Redactie: Ans Smink
Produktie: TextCase, Groningen
Zetwerk: Letter & Lijn, Groningen
ISBN 3-8228-0139-9
Printed in Germany

Inhoud

De beginjaren

Roy Lichtenstein – een der grondleggers van de Pop Art? Misschien is het geen toeval dat het aanvankelijk in potlood getekende en later (1962) in olieverf op linnen uitgevoerde portret van George Washington (afb. blz. 6) tegenwoordig zoveel gelijkenis vertoont met de kunstenaar. De grote, wijd uit elkaar staande ogen en het strenge, bijna rechthoekige gelaat hebben, zoals Lichtenstein het weergeeft, weinig te maken met de mollige fysionomie van de eerste president van de Verenigde Staten. Er is een eenvoudige verklaring voor deze merkwaardige omzetting van het gezicht van Washington: ze stamt van een Hongaar. Volgens Lichtenstein was het gedrukte voorbeeld dat hij gebruikte niet –zoals men zou kunnen verwachten– een één-dollarbiljet, maar een houtsnede van een beroemd Washington-portret van Gilbert Stuart, dat hij in een Hongaarse krant had ontdekt.

Desalniettemin is de autobiografische associatie niet geheel ongepast. In 1962 had Lichtenstein in de Amerikaanse kunstwereld een leidende rol veroverd. Hij had een jaar eerder niet alleen een schilderstijl ontdekt die strookte met zijn even droge als respectloze humor, maar kwam ook onder contract te staan bij de gerenommeerde Newyorkse galerie Leo Castelli. Kort daarna zou hij zijn leraarswerk opgeven en zich voortaan uitsluitend aan de schilderkunst wijden. Weliswaar behoort *George Washington* (afb. blz. 6) niet tot die stripverhaal-schilderijen, waarmee hij nog het meest wordt geïdentificeerd, toch gaat het bij dit 'portret' al om een typische Lichtenstein, omdat er al een reeks ideeën in zijn terug te vinden, die hij in de loop van zijn artistieke carrière zou onderzoeken. In de eerste plaats is het onderwerp overbekend, het is heroïsch en banaal, zelfs afgezaagd. In de tweede plaats is het motief afkomstig van een goedkope reproduktie van een Amerikaans, achttiende-eeuws schilderij – een werk, waarvan de oorspronkelijke kunstenaar, Gilbert Stuart, meer dan honderd kopieën met de hand heeft geschilderd. Daarmee is Lichtensteins *Washington* een kopie van een kopie van een origineel – een absurditeit, waaraan een zekere humor niet vreemd is. En in de derde plaats verwijst Lichtensteins stijl duidelijk naar de massaproduktie van het gedrukte beeld.

Roy Lichtenstein had echter lang moeten wachten, voordat zijn doorbraak een feit werd. In 1962 was hij bijna veertig en achter hem lag een nogal weinig spectaculaire loopbaan, zonder grote sucessen. Hij werd in 1923 in New York geboren als zoon uit een doorsnee

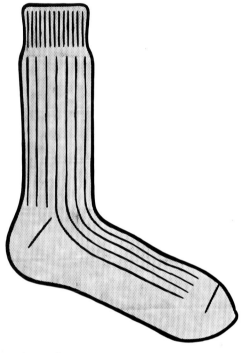

Sok, 1961
Sock
Olieverf op linnen, 121,9 x 91,4 cm
Aken, Neue Galerie –
collectie Ludwig

George Washington, 1962
Olieverf op linnen, 129,5 x 96,5 cm
New York, collectie Jean Christophe
Castelli

middenstandsgezin; hij schijnt een heel 'normale' en gelukkige jeugd te hebben gehad. Zijn vader was een makelaar in onroerend goed, gespecialiseerd in privégarages en parkeerplaatsen. Het is de vraag of artistieke zaken ooit een rol hebben gespeeld in het gezin. In ieder geval heeft Lichtenstein daarover in persoonlijke uitlatingen nooit iets gezegd. Tot zijn twaalfde ging hij naar een openbare school, daarna naar een particuliere onderwijsinstelling. Daar werd geen kunstonderwijs gegeven, maar Lichtenstein begon zich op een goede dag voor tekenen te interesseren; hij begon althans te tekenen en met olieverf te schilderen. Ongeveer in dezelfde tijd werd hij een jazz-fan en bezocht concerten in het Apollo Theatre in Harlem en de jazzclubs in de 52nd Street. Net als de Amerikaanse kunstenaar Ben Shahn schilderde hij musici, die hij vaak al spelend op hun instrumenten afbeeldde. Als jongeman zwierf Lichtenstein door de hele stad om overal bij te zijn, overal waar culturele prikkels waren te vinden. Zijn enthousiasme voor jazz zegt al iets over de richting, waarin hij zich later als schilder zou ontwikkelen: net als de kubisten voelde hij zich aangetrokken tot de zwarte cultuur, wat zich niet alleen in een bijzondere voorliefde voor jazz maar ook voor Afrikaanse kunst uitte.

Tijdens zijn laatste schooljaar (1939) bezocht Lichtenstein de zomercursussen van Reginald Marsh aan de Newyorkse Art Student League. Marsh liet zich volgens Lichtenstein zelden in het atelier zien om werk van zijn leerlingen te beoordelen. Daardoor ontstond er ook niet een echte persoonlijke band tussen de twee. Marsh is echter de eerste leraar van Lichtenstein, en het is daarom interessant om zijn mogelijke invloed –of juist het tegenovergestelde– kort te belichten. Marsh behoorde tot een groep Amerikaanse kunstenaars die een nationale kunst propageerde. De thema's haalden ze bij voorkeur uit het alledaagse leven van de Amerikaan, dat ze op een toegankelijke, bijna karikaturale manier weergaven. Marsh maakte de wereld van de herkenbare dingen tot onderwerp van zijn werk. De abstracte stromingen van de Europese avant-garde, zoals kubisme en futurisme, wees hij af. Deze stromingen hadden ook in de Verenigde Staten vaste voet gekregen sinds de befaamde (Marsh zou zeggen: beruchte) Armory Show in 1913, maar op zijn werk hadden ze geen invloed; integendeel, hij bleef op welhaast militante wijze bij de figuratieve schilderkunst. Hij werd gefascineerd door de massa's mensen, wier gezichten hij met snelle penseelstreken neerzette. In de bonte en drukke straatscènes –bijvoorbeeld het pretpark van Coney Island of de metro– vond hij elk thema dat hij zich kon wensen.

Ook Lichtenstein tekende, tijdens zijn verblijf aan de Art Students League, dergelijke typische taferelen uit het alledaagse Newyorkse leven: de Bowery, carnavalsscènes, bokswedstrijden en strandscènes. Lichtenstein was een groot bewonderaar van Picasso, wiens werk hij via reprodukties had leren kennen en wiens blauwe en roze periode zijn vroege tekeningen enigszins hadden beïnvloed. Voor de jonge Lichtenstein moet het tamelijk teleurstellend zijn geweest, dat zijn leraar deze Europese ontwikkelingen in de kunst zo beslist afwees. Aan de andere kant echter viel Marsh' niet-academische, duidelijk Amerikaanse schilderkunst, met haar alledaagse, regionale onderwerpen, samen met de voorliefde van de Pop Art voor banale en doodgewone dingen. Het belangrijkste verschil was de houding, waarmee de toekomstige Pop-kunstenaars hun alledaagse

Friteuse, 1961
Roto Broil
Olieverf op linnen, 174,7 x 174 cm
Beverly Hills (Ca.),
collectie Mr. en Mrs. Melvin Hirsch

23/25   y Lichtenstein   1956/79

thema's zouden benaderen: George Washington en al het Amerikaanse dat hij representeerde, zou bij hen worden vervreemd door de
ironie.

    Nadat Lichtenstein in 1940 de High School had voltooid, stond
voor hem vast dat hij kunstenaar wilde worden. Zijn ouders stonden
achter dit besluit, maar vroegen zich bezorgd af of hij ervan zou
kunnen leven. Ze drukten de jonge Lichtenstein op het hart om aan
een officiële kunstacademie een leraarsdiploma te halen, zodat hij
indien nodig op een 'echt' beroep zou kunnen terugvallen. Het was
duidelijk dat Lichtenstein niet erg onder de indruk was van Reginald
Marsh' conservatieve kunstopvattingen; in ieder geval aarzelde hij
niet de grote stad vaarwel te zeggen en naar de Ohio State University
te gaan. Tegenwoordig lijkt een dergelijke stap vreemd, maar men
moet niet vergeten dat New York toen niet bepaald de kunstmetro-
pool was, die het na de oorlog zou worden, en Lichtenstein zag geen
doorslaggevende reden om 'thuis' te blijven, dat wil zeggen bij de
Art Students League met haar voorkeur voor regionale schilderkunst.
De Ohio State University bood hem de mogelijkheid ateliercursussen
te volgen en de baccalaureaatsgraad in 'Fine Arts' te behalen. Na een
driejarige onderbreking vanwege militaire dienst keerde hij terug
naar Ohio en sloot zijn studie met een diploma af. Een van zijn
leraren was Hoyt L. Sherman, die een blijvende invloed op hem zou
uitoefenen.

    In zijn lessen onderwees Sherman zijn kunststudenten in
verschillende disciplines, en hij had een bijzondere methode ontwik-

Tien-dollarbiljet, 1956
Ten Dollar Bill
Lithografie, 14 x 28,6 cm
In bezit van de kunstenaar

WE
ROSE UP
SLOWLY
...AS IF
WE DIDN'T
BELONG
TO THE
OUTSIDE.
WORLD
ANY
LONGER
...LIKE
SWIMMERS
IN A
SHADOWY
DREAM...
WHO
DIDN'T
NEED TO
BREATHE...

We stegen langzaam omhoog, 1964
We rose up slowly
Olieverf en magna op linnen,
twee panelen, 173 x 234 cm
Frankfurt, Museum für Moderne Kunst

keld om hun waarnemingsvermogen aan te scherpen. Hij gebruikte daarvoor een 'Flash Room', een donkere kamer waarin hij beelden korte tijd op een scherm projecteerde en weer liet verdwijnen. De studenten moesten vervolgens tekenen wat ze hadden gezien. Eerst waren de geprojecteerde beelden eenvoudig, in de loop van het semester werden ze allengs moeilijker. Bij ingewikkeldere taferelen werden afzonderlijke vormen in schema's gegroepeerd. Interessant is dat Sherman tegelijkertijd drie projectieniveaus hanteerde, zodat hij de geprojecteerde beelden kon 'breken' door het niveau van het scherm te variëren. Uiteindelijk werden echte voorwerpen aan het plafond opgehangen en kort belicht door een schijnwerper. Lichtenstein daarover: "Je kreeg een sterk beeld op je netvlies, een totaalindruk, en die moest je dan in het donker tekenen. Daarbij kwam het erop aan na te gaan waar de onderdelen zich ten opzichte van het geheel bevonden... Het was een mengeling van wetenschap en esthetiek, en dat was nu juist wat mij interesseerde. Ik wilde altijd al het onderscheid weten tussen een streep die kunst is, en een die geen kunst is. Sherman was moeilijk te begrijpen, maar leerde ons dat de sleutel tot alles lag in wat hij als eenheid van de waarneming aanduidde." Ten slotte moesten de studenten hun aangescherpte, analytische waarneming zonder hulp van de 'Flash Room' toepassen.

Wat Lichtenstein het meest zou beïnvloeden, was Shermans theorie dat de waarneming niet zozeer een verhalende of emotionele ervaring, maar een ziensproces was. Ook de methode van Sherman om een bestaand beeld intellectueel te begrijpen door het te kopiëren, had een grote invloed op zijn studenten.

Shermans theorie over de vertaling van waarneming in een schilderij had voornamelijk betrekking op de formele rangschikking in de compositie. Wat het beeld daadwerkelijk liet zien, was minder belangrijk dan de manier waarop het werd gepresenteerd. In zijn leerboek 'Drawing by Seeing' wilde Sherman dat de studenten het vermogen ontwikkelden ook de vertrouwdste alledaagse voorwerpen zó te zien, alsof het om een puur optische ervaring ging; de betekenis van het voorwerp moest daarbij zoveel mogelijk worden geabstra-heerd. Het kwam erop aan de dingen hun lichtkracht en plaats te geven. Vervolgens moest deze zienservaring worden vertaald in beweging en textuur. Sherman beschouwt een schilderij als een plat vlak, als een tweedimensionaal oppervlak dat het uitgangspunt vormt voor de 'tekens' die de kunstenaar neerzet. Vooral dit aspect van zijn theorie had een diepgaande invloed op Lichtenstein. Door zich uitsluitend op het voorwerp zelf te willen concentreren, leken de Pop Art-kunstenaars het platte vlak te ontkennen. Tussen de overdui-delijke, directe aanwezigheid van het voorwerp en de onvermijdelijke oppervlakkigheid van de Pop-schilderkunst bestond een spanning,

Kijk, Mickey, 1961
Look Mickey
Olieverf op linnen, 121,9 x 175,3 cm
In bezit van de kunstenaar

Mr. Bellamy, 1961
Olieverf op linnen, 143,5 x 107,9 cm
Collectie Vernon Nickel

I know ... Brad, 1963
Olieverf en magna op linnen,
168 x 96 cm
München, Bayerische
Staatsgemäldesammlungen
Aken, collectie Ludwig

waarmee Lichtenstein bewust aan het werk ging. Een van de sterkste punten in zijn beeldtaal is juist deze spanning, die hij bovendien nog humoristisch vond.

Ongetwijfeld was het tot dan toe onder kunstenaars niet erg gebruikelijk een universitaire graad te behalen, maar in Lichtensteins loopbaan zou die academische context een niet te onderschatten rol spelen. Nadat hij aan de Ohio State University zijn bul in 'Fine Arts' had behaald, kreeg hij daar een aanstelling als docent – een beroep waar hij gedurende de navolgende tien jaren steeds weer, met onderbrekingen, op terugviel.

Dit intellectuele kader is voor zijn eigen artistieke activiteiten in zoverre van belang, dat het zijn analytische gerichtheid nog zou versterken; Lichtenstein was er niet zozeer in geïnteresseerd om aan een innerlijk gevoel uitdrukking te geven of de realiteit te documenteren, veeleer ging het hem erom om kunst en kunstprocessen aan een kritische test te onderwerpen. Sherman, zelf ingenieur, had Lichtenstein aangeraden tekenles te nemen. Volgens de kunstenaar heeft het technische tekenen duidelijk tot het zakelijke, niet-emotionele aspect van zijn werk bijgedragen.

Tot 1950 schilderde Lichtenstein voornamelijk halfabstracte werken, die een duidelijke invloed van de late Picasso, Georges Braque en Paul Klee lieten zien. Hij had al aan verschillende groepstentoonstellingen in het Middenwesten van Amerika deelgenomen, toen hij in 1951 voor het eerst alleen exposeerde in de New-yorkse John Heller Gallery. Onderwerpen van Lichtensteins daar tentoongestelde werk waren ridders, harnassen en middeleeuwse kastelen in een ietwat abstracte stijl. De solo-tentoonstelling bood zowaar een bescheiden commercieel succesje: hij kon in ieder geval zoveel werken verkopen, dat daarmee de kosten voor het inlijsten en het transport konden worden gedekt.

Vanaf 1951 begon het aantal studenten, na de oorlog ondersteund door beurzen van de G.I. Bill, duidelijk te dalen, en Lichtensteins aanstelling als docent aan de universiteit werd niet meer verlengd. Omdat zijn vrouw een baan in Cleveland had, verhuisden ze naar deze stad en bleven er de volgende zes jaar wonen. Lichtenstein had verschillende baantjes: hij werkte als technisch tekenaar, etalagedecorateur en ontwerper voor blikprodukten. Afwisselend verdiende hij geld en schilderde. De onderwerpskeuze van Lichtenstein in die tijd kan op het eerste gezicht nogal eigenaardig lijken.

Lichtenstein had duidelijk geen interesse voor levende modellen, realistische straatbeelden of stilleven-motieven. Noch liet hij zich verlokken tot pure abstractie. Vreemd genoeg begon hij uitgesproken Amerikaanse kunstwerken, zoals schilderijen van Frederic Remington en Charles Wilson Peale met western-thema's, op een kubistische manier te vervreemden. Hoe hij hierbij kwam, is onduidelijk, maar in ieder geval werden hier een Amerikaanse thematiek en een Europese schilderstijl met elkaar geconfronteerd. (Ongeveer in dezelfde tijd waarin Picasso zijn kubisme ontwikkelde, schilderde Remington, die in 1909 relatief jong stierf, enkele van zijn overtuigendste cowboy- en indianenwerken.) Lichtenstein maakte deze schilderijen met een slordige penseelstreek. Het leek alsof hem op de een of andere manier een gevoel van onbehagen bekroop om de door hem gekozen thematiek –Amerikaanse taferelen–

Meesterwerk, 1962
Masterpiece
Olieverf op linnen, 137,2 x 137,2 cm
Beverly Hills (Ca.),
collectie Mr. en Mrs. Melvin Hirsch

op een directere en rechtstreeksere manier te benaderen. In zijn ogen was de verovering van het Westen een puur historisch verschijnsel dat hij als een zelfbewust, twintigste-eeuwse schilder bekeek. Zo kon hij weliswaar de teloorgegane echtheid van een cowboy bewonderen, zonder echter in staat te zijn zich ermee te identificeren. Het was een zeer afstandelijke manier van historieschilderkunst. Dezelfde thematiek –cavalerie, indianen, maar ook ridders in harnassen – werkte Lichtenstein ook uit in objecten, gemaakt van gevonden houten en metalen voorwerpen. In deze vroege periode van zijn werk was hij druk bezig met experimenteren. Op speelse wijze paste hij moderne, Europese structuren en middelen op typisch Amerikaanse thema's toe.

In 1956 maakte hij een litho van een *Tien-dollarbiljet* (afb. blz. 9); dit voorbeeld toont hoe traditionele kunstvormen en Amerikaanse onderwerpen op een humoristische manier konden worden verbonden. Lichtenstein lijkt hier bijna valsemunterij te bedrijven; zijn litho ziet eruit als een vers bankbiljet, niet zozeer als een afbeelding ervan. Het rechthoekige papier waarop het is gedrukt, heeft ongeveer hetzelfde formaat als een echt biljet, en het beeld vult de gehele rechthoekige vorm op. Het medaillon-portret van Alexander Hamilton toont echter een platgeslagen, op een miereneter lijkend wezen met het kapsel van de vroege Picasso en ogen als die van een figuur van Francis Picabia. Het ingewikkelde randpatroon is veranderd of, beter gezegd, op een onafgewogen manier sterk vereenvoudigd.

Lichtenstein zei hierover: "Toentertijd kwam het voor het eerst in me op eenvoudige schilderijen te maken, die er ongepast en ergens een beetje dom uit zouden zien, met een kleurgebruik alsof het niets met kunst te maken had." Lichtensteins speelse humor verzet zich tegen een analytische beschrijving. De grap is juist dat de toeschouwer de door de schilder aangebrachte veranderingen onbewust herkent en ze leuk vindt; als men hier te veel uitlegt, dreigt de grap te vervlakken.

Hoewel Lichtenstein zijn werk in de vijftiger jaren regelmatig in New York exposeerde, verkocht hij niet genoeg om zijn gezin –in 1956 had hij al twee zonen– ervan te onderhouden. In 1957 besloot hij weer les te gaan geven. In Oswego werd hem, aan een kleine school in de staat New York, een baan aangeboden, en daar gaf hij de volgende drie jaar les. In Oswego verliet hij zijn 'historische' thema's en begon in een andere stijl, het inmiddels internationaal gevestigde abstract expressionisme, te schilderen. Het abstract expressionisme heeft een extroverte en een introverte vorm. In het extroverte 'Action Painting' gingen artistieke energie en improvisatietechniek gepaard met verf en soms ook met dingen als sigarettepeuken en glas, dit alles gespat, gespoten of gesmeerd op enorme doeken. Met name Jackson Pollock en Willem de Kooning werkten in deze directe, expressieve schilderstijl en werden de belangrijkste vertegenwoordigers van de 'action'-stijl. Daartegenover stonden het introvertere symbolisch abstract expressionisme en de 'color-field painting', waarin het gevoel voor kleur en vorm de boventoon voerde. De schilderijen van kunstenaars als Robert Motherwell en Barnett Newman hebben een subtiele, fijngevoelige en welbewustere helderheid. Newman schilderde grote, pure kleurvlakken die de toeschouwer ertoe aanzetten om meditatief in het beeld op te gaan. Beide richtingen in het abstract expressionisme zagen gewoonlijk af van herkenbare motieven en toonden in plaats daarvan bij voorkeur abstracte beeldvlakken. (Willem de Kooning vormt hierop een uitzondering.) Al deze werken hebben iets te maken met de diepste gedachten en gevoelens van de kunstenaar.

Lang nadat de Pop Art al geschiedenis was geworden, karakteriseerde Andy Warhol het abstract expressionisme op een manier, waaruit duidelijk blijkt hoe kritisch de Pop-kunstenaars tegenover deze stroming stonden: "Het wereldje van het abstract expressionisme was erg 'macho'. De schilders die altijd in de Cedar-Bar op het University Place rondhingen, waren allemaal opgewonden vechters-

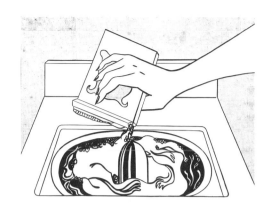

Wasmachine, 1961
Washing Machine
Olieverf op linnen, 143,5 x 174 cm
New York, collectie Richard Brown Baker

"We zijn geneigd de industrialisatie als iets verwerpelijks te zien. Ik weet niet echt wat ik ervan moet vinden. Ze heeft iets breekbaars. Ik zou natuurlijk liever met een picknickmand onder een boom dan naast een benzinepomp zitten, maar uithangborden en stripverhalen zijn als thema interessant. De commerciële kunst is praktisch en direct, ze heeft een sterke en vitale uitwerking. We gebruiken deze zaken – zonder daarbij domheid, internationale teenagercultus of terrorisme te propageren."

ROY LICHTENSTEIN

bazen die elkaar te lijf gingen en elkaar opmerkingen naar het hoofd slingerden als 'Ik sla je op je bek' of 'Ik pik je grietje in'. Dat Jackson Pollock zich in zijn auto heeft doodgereden, is eigenlijk heel logisch, en zelfs Barnett Newman, met zijn pak en monocle altijd erg elegant, was afgestompt genoeg om zich met de politiek te bemoeien: in de dertiger jaren was hij immers —hoewel slechts symbolisch— kandidaat voor de burgemeesterszetel van New York. Deze lompheid hing direct samen met hun kunst, die sowieso al tot mislukken was gedoemd. Die lui ontploften steeds en gingen met elkaar op de vuist vanwege hun schilderijen of hun liefdesleven... In kunstenaarskringen ging het toen in ieder geval heel anders toe. Ik heb geprobeerd me voor te stellen hoe het zou zijn als ik in een bar op, laten we zeggen, Roy Lichtenstein af zou gaan met de opmerking 'of hij even mee naar buiten wilde komen', omdat ik had gehoord dat hij zich negatief over mijn soepblikken had uitgelaten. Dat is toch werkelijk smakeloos. Ik was blij dat deze matpartijen uit de mode waren geraakt – dat was niks voor mij, even afgezien of ik ervoor geschikt was."

Tegen de achtergrond van het abstract expressionisme deden zich nieuwe ontwikkelingen voor, die al in 1957 op gang waren

Zonsopgang, 1965
Sunrise
Offset-lithografie in rood, blauw en geel, 46,7 x 62 cm
Keulen, Museum Ludwig

Wolk en zee, 1964
Cloud and Sea
Emaille op metaal, 76 x 152,5 cm
Keulen, Museum Ludwig

gekomen, toen Lichtenstein –als late bekeerling– in deze stijl begon te werken. Hij probeerde zich toen duidelijk bij de hoofdstroming op de kunstmarkt aan te sluiten. In 1958 exposeerde hij nieuw werk in de Condon Riley Gallery in New York, zonder daarmee overigens al te veel aandacht te trekken.

Zo erg kan het abstract expressionisme hem ook niet hebben aangesproken, anders zou Lichtenstein hoogstwaarschijnlijk niet zijn begonnen met het maken van merkwaardige tekeningetjes van stripfiguren als Mickey Mouse, Donald Duck, Bugs Bunny en vele andere personages uit het overbekende Disney-arsenaal. Op de vraag van John Coplans waarom hij met het verleden had gebroken en was overgegaan tot het gebruik van stripfiguren, antwoordde hij: "Dat gebeurde uit pure vertwijfeling. Tussen Milton Resnick en Mike Goldberg (twee abstract expressionisten van de tweede generatie) was gewoon geen plek meer vrij." Lichtenstein geeft ook toe dat hij is beïnvloed door de vrouwenportretten van Willem de Kooning, waarop respectievelijk vrouwenfiguren en -hoofden tegen een expressief geschilderde achtergrond waren te zien. Hij wilde met zijn Mickey's en Donalds de spot drijven met De Koonings rauwe erotiek. Lichtensteins eerste schilderijen met stripfiguren werden echter nooit in het openbaar vertoond, en later vernietigde hij ze allemaal of schilderde hij ze over. Daaruit kan worden geconcludeerd dat ze hemzelf niet erg konden overtuigen. In ieder geval zijn uit deze periode slechts enkele tekeningen overgebleven. Lichtensteins voorlopige uitstapje naar de 'Disney World' betekende daarom geenszins een breuk met zijn eerdere werk. Hij had zich immers altijd al voor simpele motieven uit de Amerikaanse mythologie geïnteresseerd en had reeds bestaande beelden op ironische wijze in schilderijen van hemzelf omgevormd.

Lichtensteins interesse voor dit soort onconventionele thema's werd nog versterkt door dat wat verder onder de kunstenaars op gang

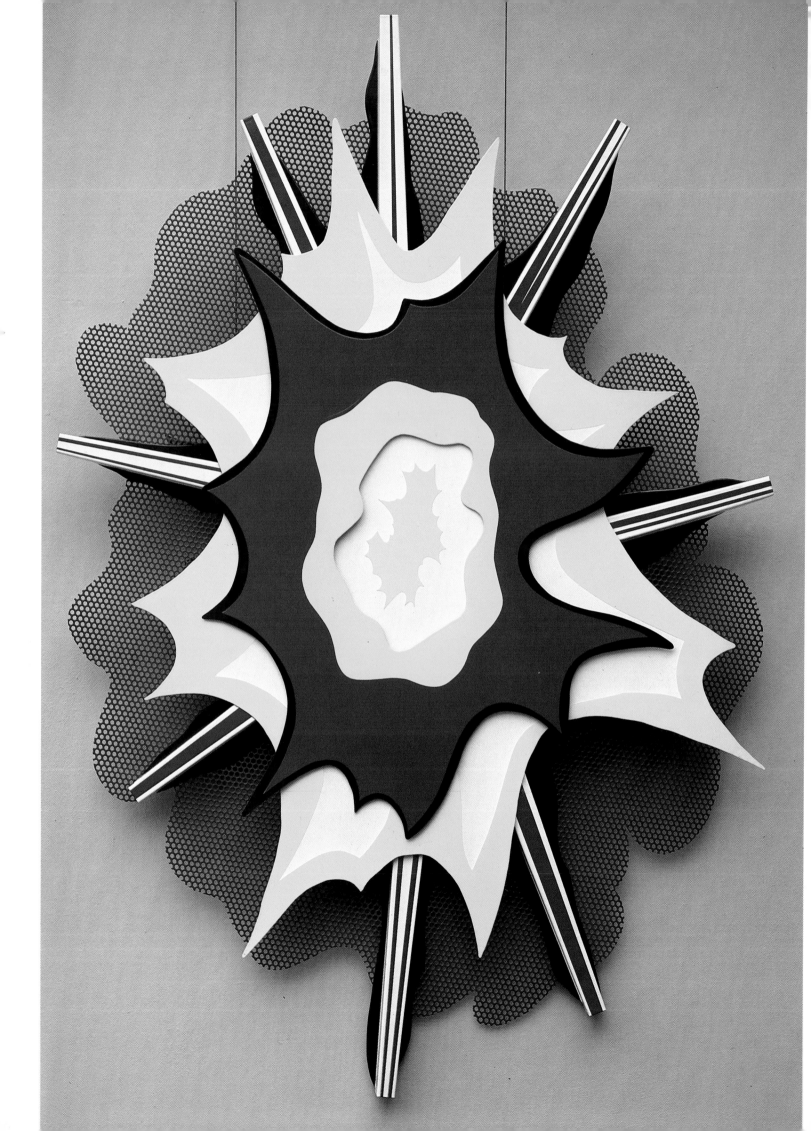

begon te komen. Vanaf 1960, toen Lichtenstein zijn docentschap aan het Douglass College van de Rutgers University in New Jersey opnam, zijn er allerlei nieuwe invloeden te bespeuren. Toentertijd gaven een aantal jonge, vernieuwende kunstenaars les aan de Rutgers University en daardoor vond Lichtenstein aansluiting bij die ontwikkelingen, die zich hadden voorgedaan toen hij in Ohio en Oswego werkte. Een belangrijke collega aan Rutgers was de kunstenaar en kunsthistoricus Allan Kaprow. Met het maken van 'environments' en het organiseren van 'happenings' had Kaprow het traditionele kunstvoorwerp ver achter zich gelaten. Zo installeerde hij bijvoorbeeld in 1958 in de Newyorkse Hansa Gallery een verwarrend doolhof van verscheurde en bont beschilderde stofbanen die van het plafond naar beneden hingen, met daartussenin plastic folie, cellofaan, verkleefd plakband en kerstboomlichtjes. Elke vijf uur klonk elektronische muziek uit bandrecorders die overal in de galerie stonden. Het publiek kon zich naar believen een weg banen door deze anarchistische jungle. Kaprow had in zijn kunst het idee van zijn leraar, de musicus John Cage, verder uitgewerkt. Volgens Cage hadden ook alledaagse dingen een esthetische betekenis en was de wereld zelf een kunstwerk, waar alle dingen deel van uitmaakten. Door deze opvatting beïnvloed, begonnen kunstenaars hun inspiratie uit alledaagse voorwerpen en situaties te putten.

Twee leerlingen van Cage, die later een belangrijke rol zouden spelen, waren Robert Rauschenberg en Jasper Johns. Johns schilderde vlaggen, cijfers en schietschijven op een manier die radeloze critici deed verzuchten of hier eigenlijk nog wel sprake was van kunst: "Is het een vlag of is het een schilderij?" Robert Rauschenberg maakte 'combine paintings', waarin oude rommel en expressionistische penseelstreken waren vermengd. In maart 1958 verscheen in het tijdschrift 'Newsweek' een artikel onder de kop 'Trend to the Anti-Art', waarin onder andere over Rauschenberg en Kaprow werd gesproken. 'Newsweek' noemde Kaprow een gevaarlijke radicaal die op het punt stond traditionele kunstwaarden op de mestvaalt te gooien. Door hun ontmoeting aan de Rutgers University maakte Lichtenstein kennis met het werk van Kaprow en woonde ook verschillende happenings bij. Volgens Lichtenstein waren happenings van grote invloed op zijn werk. Kaprows anti-autoritaire, uitbundige manier waarop hij de kunst aanviel, paste zeer goed bij zijn eigen respectloze houding. Deze nieuwe sfeer in de kunstwereld legde de basis voor Lichtensteins provocerende 'comics'.

De twee zonen van Lichtenstein –geboren in 1954 en 1956– waren nog kinderen, toen hij aan het einde van de vijftiger jaren begon met het tekenen van kauwgumverpakkingen; misschien vonden zij die poppetjes leuk, in ieder geval stelde hij vast dat cartoonfiguren dè uitdrukking van de Amerikaanse cultuur waren geworden.

In een discussie met Bruce Glaser zei Lichtenstein eens dat hij Mickey Mouse-figuurtjes voor zijn kinderen had getekend. Maar in wezen was het Kaprow die hem stimuleerde het stripplaatje in zijn oorspronkelijke vorm te handhaven en het niet met schilderkunstige middelen te veranderen. Zoals Lichtenstein aan Glaser uitlegde: "Toen kwam ik op het idee een van deze kauwgumpapiertjes te schilderen, en wel op groot formaat, gewoon om te kijken hoe dat

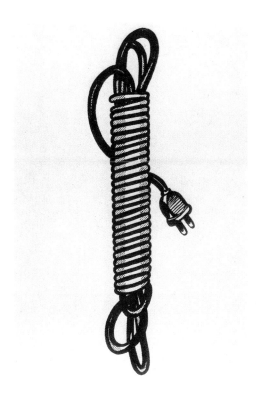

Elektrisch snoer, 1961
Electric Cord
Olieverf op linnen, 71,1 x 45,7 cm
New York, Mr. en Mrs. Leo Castelli

Explosion No. 1, 1965
Gelakt metaal, 251 x 160 cm
Keulen, Museum Ludwig

Torpedo ... los!, 1963
Olieverf op linnen, 172,7 x 203,2 cm
Winetta (Ill.), collectie
Mr. en Mrs. Robert B. Mayer

er uit zou zien. Ik geloof dat ik daarbij eerst toeschouwer was, niet zozeer schilder, maar toen het schilderij half af was, begon het me als schilderij te interesseren. Daarom ging ik mij weer richten op wat ik beschouw als het serieuze werk, want het was gewoon te sterk voor mij. Langzamerhand werd mij duidelijk dat deze zaak een grotere invloed op mij uitoefende dan ik had gedacht en dan ze eigenlijk verdiende."

De vroege Mickey's en Donalds verriedden nog duidelijk de hand van de kunstenaar, maar in 1961 besloot Lichtenstein radicaal met zijn expressieve stijl te breken. Hij stelde namelijk vast dat het holwit als gevolg van de eigenlijke industriële druktechnieken en het laten staan van het tekstballonnetje het schilderij veel sterker maakten en een nieuwe, verbluffende kwaliteit gaven. Kon een dergelijke reuzenstrip nog voor kunst doorgaan? Het eerste grootschalige olieverfschilderij, waarin hij met scherp omlijnde figuren, drukverf en rasters werkte, zoals ze in het commerciële drukprocédé worden gebruikt om halftonen te krijgen, was *Kijk, Mickey* (afb. blz. 11). Het laat een opgewonden Donald zien, die denkt een grote vis aan de haak te hebben, terwijl de haak in zijn eigen jaspand verstrikt is geraakt. Mickey, zoals altijd slimmer en handiger dan Donald, houdt zijn gehandschoende poot voor de mond om een luid gelach te onderdrukken. Er is geen duidelijke reden waarom Lichtenstein juist dit stripverhaaltje heeft uitgezocht, behalve dat er een pointe in zit. Misschien prikkelde het tafereeltje hem uit formele motieven. Misschien was het een schimpscheut tegen die opgewonden kunstenaars die denken dat ze iets heel nieuws en groots scheppen, terwijl ze slechts opgaan in zelfbedrog. Donalds wijd open, stralende ogen puilen letterlijk uit, alsof hij echt een vis heeft gezien; daarentegen heeft de rustigere Mickey, de ogen klein en leeg, het beter door. Welke uitleg men ook aan het schilderij kan geven, *Kijk, Mickey* bracht alles aan het rollen. De industriële stijl van de gedrukte comic werd de stijl van Lichtenstein. Nog in hetzelfde jaar maakte hij ongeveer zes schilderijen, waarin hij herkenbare karakters van kauwgumverpakkingen of stripboeken gebruikte. Zoals eerder in *Kijk, Mickey*, tekende hij ze met potlood direct op het doek en werkte ze vervolgens met olieverf uit. Hij week slechts weinig af van het origineel. (Op die plaatsen waar Lichtenstein zijn eerste schets 'corrigeerde' en tijdens het schilderen de proporties wat veranderde, zijn de potloodlijnen duidelijk zichtbaar.) Het raster werd, alleen in bepaalde vlakken, aangegeven door een onregelmatige structuur van fijne punten. In *Kijk, Mickey* zijn de rasterpunten alleen toegepast in de ogen van Donald en het gezicht van Mickey.

In veel van Lichtensteins vroege comics lijken de tekstballonnetjes een ironische boodschap te hebben. Een ander werk uit 1961, *Mr. Bellamy* (afb. blz. 12), is een soort grapje voor ingewijden. Dick Bellamy, eigenaar van de Green Gallery, stond erom bekend open te staan voor nieuw talent en nieuwe ontwikkelingen in de kunst. Vaak toonde hij het werk van jonge, onbekende kunstenaars voor het eerst. Lichtensteins oprechte, jonge officier maakt zich ernstige zorgen. (Dat de tekst niet wordt uitgesproken, wordt aangegeven door de wolkjes, die naar het tekstballonnetje leiden. Juist deze vorm van symboliek bewonderde Lichtenstein in het stripverhaal.) Een onzichtbare autoriteit heeft hem het bevel gegeven, dat hij plichtsgetrouw

Shipboard Girl, 1965
Offset-lithografie in rood, blauw, geel en zwart, 69,9 x 51,4 cm
Uitgegeven door Leo Castelli, New York

Voorbeeld voor Takka Takka

Whaam, 1963
Magna op linnen, 172,7 x 406,4 cm
Londen, The Tate Gallery

gehoorzaamt: "Ik moet me bij een zekere Mr. Bellamy melden. Ik ben benieuwd wat voor een type dat is." Het gaat hier om een professionele opdracht, door Lichtenstein met ironie benaderd. Misschien voelde hij zich verbonden met die grote groep kunstenaars die allen een en dezelfde wens hadden, namelijk door een goede galerie –zoals die van Dick Bellamy– te worden gecontracteerd.

Met dit soort schilderijen kwam Lichtenstein in de herfst van 1961 bij Leo Castelli. Castelli accepteerde meteen Lichtensteins nieuwe werk voor zijn galerie. Slechts enkele weken later liet ook Andy Warhol zijn comic-schilderijen aan de galeriehouder zien. Het is geen toeval dat Lichtenstein en Warhol –volstrekt onafhankelijk van elkaar– tegelijkertijd dezelfde thematiek ontdekten. Maar tussen de stripbeelden van beide kunstenaars bestond een belangrijk verschil, namelijk hun verschillende stijlen. De schilderstijl van Warhol was nog niet helemaal los van het expressionisme. Castelli wees Warhols werk af, en Warhol begreep ook waarom. Hij wist dat zijn stripfiguren niet zo provocerend waren als die van Lichtenstein en concludeerde daarom meteen: "Ik zei tegen Henry (Geldzahler) dat ik van nu af aan geen stripverhalen meer zou maken en hij vond dat niet juist. Ivan (Karp) had zojuist Lichtensteins rasters aan mij laten zien en ik dacht: 'Ach, waarom ben ik toch niet op dat idee gekomen?' Juist toen besloot ik dat, als Roy zulke goede strips maakt, ik er maar helemaal mee zou stoppen en het in andere richtingen zou gaan zoeken, waar ik als eerste voor de dag zou kunnen komen – bijvoorbeeld kwantiteit en herhaling. Henry zei tegen mij: 'Maar jouw comics zijn toch prachtig –ze zijn niet *beter* of *slechter* dan die van Roy–, beide zijn nodig, ze zijn totaal verschillend.' Maar later moest Henry toegeven: 'Vanuit het oogpunt van strategische en militaire rolbezetting had je natuurlijk gelijk. Het territorium was al bezet.'"

Lichtenstein had inderdaad zijn artistieke 'terrein' gevonden met het overnemen van of, beter nog, het aanpassen van gedrukte voorbeelden. Hij keerde zich af van de Disney-figuren, omdat ze naar zijn idee niet anoniem genoeg waren. In hun plaats kwamen motieven

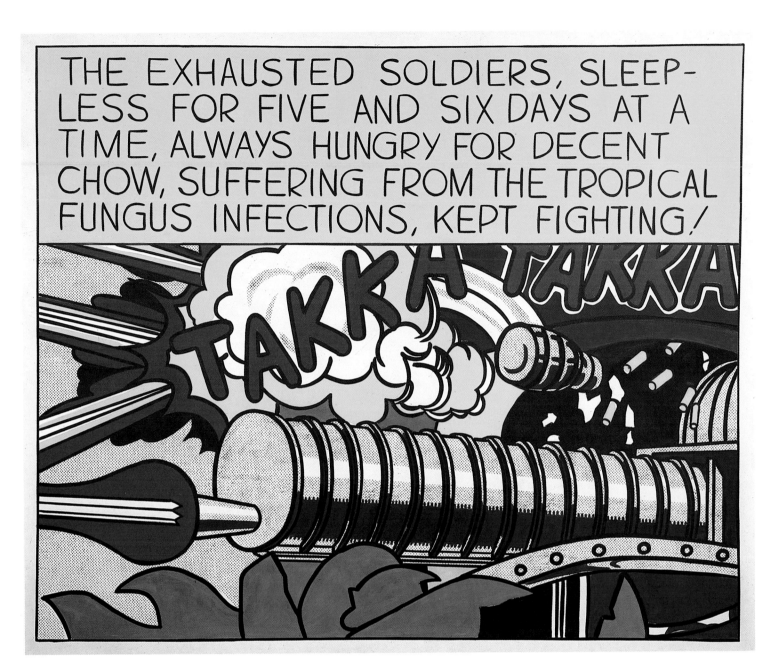

die net zo banaal en onnozel waren, zoals kleine advertenties uit de gouden gids, illustraties uit postordercatalogi of stripverhalen met liefdes- en oorlogsverhalen. Nog voor de opening van zijn eerste solotentoonstelling bij Castelli in februari 1962 waren alle schilderijen door belangrijke verzamelaars gekocht. In *Meesterwerk* (afb. blz. 14) lijkt Lichtenstein zijn nieuwe succes met ironie te bekijken. Uiteindelijk bleek dat hij uitsluitend van zijn kunst kon leven en geen les meer hoefde te geven. Lichtenstein wijdde zich nu volledig aan het schilderen.

Takka, Takka, 1962
Magna op linnen, 173 x 143 cm
Keulen, Museum Ludwig

Schilderijen die niet beroemd waren...

Lichtenstein wilde dat zijn schilderijen er uitzagen alsof ze door een machine waren geproduceerd, maar in zijn hart bleef hij toch een kunstenaar. In tegenstelling tot Andy Warhol gebruikte Lichtenstein bijna nooit foto's als voorbeeld voor zijn werk. In plaats daarvan gaf hij de voorkeur aan onpersoonlijke, handgetekende figuren. Zo waren bijvoorbeeld taferelen uit tiener- en actiestrips, die hem aanzetten tot het maken van schilderijen als *M-misschien* en *Toen ik het vuur opende* (afb. blz. 28/29), gemaakt door illustratorenteams die daarin geen enkel persoonlijk stijlkenmerk achterlieten. Commerciële plaatjes, zoals uit de gouden gids, waren door het kunstzinnige publiek nooit opgemerkt. Lichtenstein pikte ze op en verwerkte ze tot grootschalige, irriterende schilderijen met een enorme aanwezigheid, zoals in *Hoofd – geel en zwart*. De spanning ontstaat door de tegenstrijdigheid tussen enerzijds de anonieme tekenstijl en anderzijds het feit dat een commerciële afbeelding in feite door een individuele kunstenaar wordt gemaakt. Zelfs het anoniemste tekenproces verraadt immers nog de menselijke hand. Toen Lichtenstein de onbeduidendste en platste kunstvormen aan het op een verheven kunstgenot gerichte publiek presenteerde, wees hij daarmee op een onuitgemaakte zaak. Zoals hij toch had gezegd: "Ik wilde altijd al het onderscheid weten tussen een streep die kunst is en een die geen kunst is."

Zijn vroege werk wordt gekenmerkt door een brede keuze aan thema's. Een gemeenschappelijke noemer is de al bestaande, tweedimensionaal gereproduceerde toestand van wat Lichtenstein wil laten zien. In enkele gevallen is het originele voorbeeld bewaard gebleven, zodat men de door Lichtenstein aangebrachte veranderingen nog steeds kan nagaan. (In tegenstelling tot wat de meeste critici toen dachten, heeft Lichtenstein de afbeeldingen aanzienlijk veranderd.) Veel van de motieven komen intussen zo direct en anoniem over, dat het bijna onmogelijk is ze te herleiden. Dat geldt bijvoorbeeld voor *Golfbal* (afb. blz. 26) uit 1962. De rondjes en boogjes, waarmee de poriën in het oppervlak zijn aangegeven, maken het tot een herkenbaar driedimensionaal object, maar tegelijkertijd vormen ze ook een spel van abstracte tekens. Wie vertrouwd is met de moderne kunst, zal het formele verband met de ovale schilderijen van Piet Mondriaan uit de periode voor de Eerste Wereldoorlog (afb. blz. 26) in het oog springen. Er zijn echter ook parallellen met de eigentijdse kunst. De gelijktijdige reductie van het voorwerp en zijn

Knipsel uit de zondagbijlage van de 'New York Times'

Meisje met bal, 1961
Girl with Ball
Olieverf op linnen, 153,7 x 92,7 cm
New York, The Museum of Modern Art

25

Golfbal, 1962
Golf Ball
Olieverf op linnen, 81,3 x 81,3 cm
Beverly Hills (Ca.), collectie
Mr. en Mrs. Melvin Hirsch

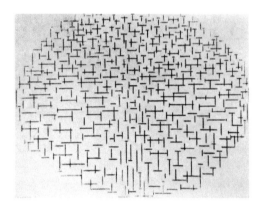

Piet Mondriaan
Pier en oceaan, 1915
Olieverf op linnen, 85 x 108 cm
Otterlo, Rijksmuseum Kröller-Müller

The Melody Haunts My Reverie, 1965
Zeefdruk in rood, geel, blauw en zwart,
69,9 x 51,4 cm
'11 Pop Artists' portfolio, Vol. III

overdrijving in *Golfbal* heeft hetzelfde humoristische effect als de objecten van Claes Oldenburg. Oldenburgs monumentale taartpunten, sandwiches of spijkerbroeken van vinyl, gips of stof zijn gevoelloos en prozaïsch. Het gebruik, de functie van deze dingen wordt twijfelachtig. Net als Lichtensteins *Golfbal* zijn het gewoon produkten, waarvan de opdringerige aanwezigheid niet in het minst wordt verminderd door de onbelangrijkheid ervan. Veeleer begint men zich af te vragen of ze wel zo onbelangrijk zijn.

In de zestiger jaren was er praktisch geen gebruiksvoorwerp, dat niet 'nieuw en verbeterd' op de markt werd gebracht. Voortdurend werden methoden bedacht om ook relatief onspectaculaire produkten in de schijnwerpers te plaatsen. De produkten werden tot symbolen van een ideale levensstandaard.

Lichtenstein heeft waarschijnlijk op deze naoorlogse ontwikkeling gereageerd, toen hij begon met het tekenen en schilderen van diverse consumptie-artikelen. De manier waarop de reclame aan de werkelijkheid voorbijgaat, heeft immers iets lachwekkends, en juist dat moet hem hebben aangetrokken. *Friteuse* (afb. blz. 8), *Wasmachine* (afb. blz. 15) en *Sofa* uit 1961 of *Karbonade*, *Koelkast* en *Sok* (afb. blz. 7) uit 1962 zijn grafisch-lineaire tekeningen van dingen die hun onmisbaarheid voor een beter leven van de bezitter moeten tonen en daardoor gekocht worden. De voorbeelden komen overduidelijk uit postordercatalogi of uit tijdschriftadvertenties, want ze staan nadrukkelijk geïsoleerd tegen een witte achtergrond, als op een wit blad papier. Afgezien van sporadische merknamen is er geen begeleidende tekst, en ook lijken de objecten —anders dan in surrealistische schilderijen— geen verborgen boodschap in zich te dragen. Ze hebben de kille zwijgzaamheid van monumenten, waarvan de heroïsche uitstraling het de toeschouwer moeilijk maakt zich ermee te identificeren. Maar het gaat Lichtenstein er bij deze schilderijen niet om om de consumptiemaatschappij te bekritiseren. Hij laat deze slechts zien zoals ze is, en uiteindelijk maakt de consumptiemaatschappij zichzelf belachelijk.

Wat de comics en de tekeningen van consumptie-artikelen met elkaar gemeen hebben, is hun oorspronkelijke kracht, hun samengebalde verschijning. Lichtensteins gerichtheid op commerciële kunst heeft in zekere zin een overeenkomst met die van de kubisten, die de Afrikaanse kunst als een krachtige, authentieke bron van beelden ontdekten. Lichtenstein bewonderde niet alleen de directheid, die inherent is aan commerciële kunst, maar hem beviel ook de manier waarop het doel van het werk zo efficiënt werd uitgedrukt in zijn vorm. In een interview met Gene Swenson zei Lichtenstein eens, dat in de tijd dat hij met zijn Pop-schilderijen begon, vrijwel alles als kunst werd geaccepteerd. Ook ongedisciplineerde, willekeurige beelden, 'druipende verfvodden', konden worden getoond. Deze kunst was kwalitatief niet goed, maar ze ontstond in een artistieke geest, een geest die zichzelf zag als een onafhankelijk genie.

Commerciële kunst was uit den boze bij die 'beeldende kunstenaars', die liever bij een inspirerende muze in de schuld wilden staan dan dat ze zich door een bedrijf lieten betalen. Toen bijvoorbeeld Robert Rauschenberg en Jasper Johns in hun begintijd geld verdienden met het decoreren van warenhuisetalages, deden ze dat onder een pseudoniem. Andy Warhol was oorspronkelijk een zeer succesvolle

Toen ik het vuur opende, 1964
As I Opened Fire
Magna op linnen, drie panelen,
elk 172,7 x 142,2 cm
Amsterdam, Stedelijk Museum

—en zelfs bekroonde— reclameontwerper geweest, en juist daarom werd hij aanvankelijk als kunstenaar niet erg serieus genomen. Het intellectuele kunstpubliek keek neer op kunstenaars die voor geld alles deden wat een bedrijf maar wilde, aangezien hun activiteiten niets te maken leken te hebben met artistieke inspiratie en artistiek denken. Juist de minachting voor commerciële kunst maakte haar tot het ideale wapen van de avant-garde tegen de arrogantie van de gevestigde smaak van die tijd.

Lichtenstein was de eerste die zag dat het merendeel van de commerciële kunst kwaliteit bezat. Andere kunstenaars hadden in hun werk alledaagse thema's en materialen opgenomen, maar Lichtenstein ging een stapje verder en haalde feitelijke commerciële processen van weergave en reproduktie aan. Hij doorbrak de grenzen van de conventionele schilderkunst en begaf zich op gevaarlijk terrein. In tegenstelling tot Castelli's vooruitziende klanten reageerden de meeste vertegenwoordigers van de gevestigde kunstkritiek met tegenzin op zijn schilderijen.

Natuurlijk stond Lichtenstein ook niet voor honderd procent achter de commerciële kunst, ook al bewonderde hij bepaalde aspecten ervan. Pop Art is immers niet absoluut bevestigend, maar eerder diagnostisch. Als Lichtenstein bijvoorbeeld delen van het menselijk lichaam op speelse wijze in verband brengt met consumptie-artikelen, heeft de toeschouwer niet het gevoel dat hem hier een nieuw idee wordt 'aangepraat'. Een erg grappig voorbeeld daarvan is wel het tweedelige schilderij *Pedaalemmer met been* (afb. blz. 30) uit 1961; misschien berust het op een geïllustreerde gebruiksaanwijzing bij een nieuwe pedaalemmer. Een sierlijk, vrouwelijk onderbeen steekt vanuit de linker bovenhoek in het beeldvlak. Een geruite rok –de ruiten zien er niet bepaald uit alsof ze op zacht materiaal zijn gedrukt– bedekt zedig de knie en de elegante hooggehakte schoen –niet echt geschikt voor het huishouden– reikt naar de pedaal van de emmer. Op het tweede paneel, op het eerste gezicht niet meer dan een herhaling van het eerste, gaat het 'verhaal' verder. Een nauwelijks waarneembare druk van de damesvoet doet de pedaalemmer open-

"Het is niet in de eerste plaats mijn bedoeling om met mijn oorlogsschilderijen militaristische agressiviteit belachelijk te maken. Ik vind persoonlijk dat onze buitenlandse politiek in veel opzichten barbaars is geweest, maar daar gaat het in mijn werk niet om, en ik wil deze wijdverbreide opvatting ook niet uitbuiten. Het thema van mijn werk betreft eerder onze Amerikaanse definitie van schilderijen en visuele communicatie."

Roy Lichtenstein

29

gaan– afval of luiers kunnen erin worden weggegooid. De bloem-decoratie op de emmer suggereert een produktmatige, hygiënische frisheid; daarmee gepaard gaat het idee dat het niet langer nodig is de afvalemmer daadwerkelijk aan te raken om hem te openen. De smaakvolle vormgeving en de gemaniëreerde elegantie van de situatie zijn volstrekt absurd. In deze tekeningen is de belangrijkste rol niet zozeer weggelegd voor de vrouw van wie het been is, maar voor de kleine pedaalemmer – de vrouw is enkel en alleen functioneel voor de demonstratie ervan. In enkele van zijn vroege werken steekt Lichten-stein de draak met de manier waarop vrouwen als verlengstuk van huishoudelijke apparaten worden beschouwd. Dit thema had ook de Britse Pop-kunstenaar Richard Hamilton al behandeld in zijn opzienbarende collage *Wat is het toch, dat de woningen van vandaag zo anders, zo aantrekkelijk maakt?* (1956).

Een tijdschriftadvertentie die de 'ideale wittebroodsweken' in de Pocono's aanprees, gaf Lichtenstein het motief voor zijn *Meisje met bal* (afb. blz. 24) uit 1961. Het laat juist het type meisje zien dat Mr. Bellamy op een pasfoto in zijn portefeuille bij zich zou dragen. Zowel de advertentie als het schilderij tonen het cliché van een mooie jonge vrouw met zijdeachtig, glanzend haar, geopende rode lippen, een prachtig figuur en gladgeschoren oksels, die een strandbal hoog boven haar hoofd houdt. Uit haar hele houding, hier in een moment-opname vastgelegd, blijkt dat ze uitgelaten rondhuppelt. Maar op de een of andere manier heeft Lichtenstein het plezier uit het schilderij laten verdwijnen. In het werk is alles geconcentreerd op de houding van het meisje, waarvan we alleen het bovenlichaam zien. Terwijl de advertentie zeer klein is, heeft Lichtenstein het meisje meer dan

Pedaalemmer met been, 1961
Step-on Can with Leg
Olieverf op linnen, twee panelen,
82,5 x 134,6 cm
Londen, collectie Robert Fraser

levensgroot opgeblazen. Het spaarzame kleurgebruik ontleedt en vereenvoudigt de simpele uitstraling van het zwart-witte origineel. Net als een goedkoop gedrukt stripverhaal, waarin enkele kleuren voor meerdere doeleinden worden gebruikt, is Lichtenstein hier zeer spaarzaam met zijn palet. Het haar van het meisje is op de oorspronkelijke afbeelding net zo blauw als haar badpak, wat herinnert aan het bij het drukprocédé gebruikelijke uitsparen van een extra drukgang. (Natuurlijk bestaat er geen blauw haar, maar iedereen begrijpt meteen dat zwart haar is bedoeld.) Eens te meer heeft Lichtenstein hier op humoristische wijze een economische beperking aangestipt, waartoe bij hem echter elke noodzaak ontbreekt. Hij

Verdrinkend meisje, 1963
Drowning Girl
Olieverf en magna op linnen,
171,8 x 169,5 cm
New York, The Museum of Modern Art

31

Waanzinnige wetenschapper, 1963
Mad Scientist
Magna op linnen, 127 x 151 cm
Keulen, Museum Ludwig

schildert immers zijn schilderij, het wordt niet gedrukt. Nog in een ander detail wordt door het gebruik van eenzelfde kleur een onzinnig en net zo humoristisch verband gelegd. Tussen de geopende rode lippen van het meisje is een witte streep te zien als aanduiding voor parelwitte tanden. Daardoor verwijst de merkwaardig scheve stand van de mond tegelijkertijd naar de rode en witte banen van de strandbal. Dit vormenspel zet zich voort in de witte rand van het badpak, de lichtreflectie op het haar en het golfsilhouet. In *Meisje met bal* gaat het Lichtenstein niet alleen om het weergeven van een cliché. Hem interesseert ook in hoeverre abstracte vormen kunnen worden gemanipuleerd om bepaalde associatieve betekenissen duidelijk te maken. Natuurlijk zijn deze vormen dubbelzinnig. Soms zijn ze onderdelen van de vormgeving in het beeldvlak, dan weer betekenis-dragers voor de eigenlijk weergegeven figuur. Lichtenstein wees er steeds weer op dat in zijn werk het formele aspect belangrijker is dan men over het algemeen denkt. Zijn composities zijn net zo zorgvul-dig overdacht als de keuze van zijn onderwerpen.

Het prototype van de mooie jonge vrouw, zoals ze in *Meisje met bal* verschijnt, duikt steeds weer in het werk van Lichtenstein op. In de latere comic-schilderijen komt ze echter wat gladder over en wordt haar eventueel ook een tekst gegeven, die ze uitspreekt of denkt. Ze doet altijd precies wat men van een vrouw verwacht. In *De kus* (afb. blz. 35) uit 1961 ligt ze in de armen van weer een andere jonge officier, in *Meesterwerk* (afb. blz. 14) spreekt ze een aankomend kunstenaar moed in en in *Eddie-tweeluik* (afb. boven) moet ze zo aan haar geliefde Eddie denken, dat ze niets kan eten. Soms is ze een blondine, soms een brunette, maar verder heeft ze geen specifieke individuele trekken. Dit soort stripfiguren is alleen naar het uiterlijk te interpreteren. Een knap meisje is automatisch een goed meisje, zij het dat ze van een of ander toegevoegd, slecht attribuut is voorzien, wat haar van de norm doet afwijken. Veel van Lichtensteins meisjesfiguren —vooral wachtende en huilende meisjes— lijken in hun perfectie kwetsbaar te zijn. Ze zijn papieren dromen, leeg en vreemd, en toch gevaarlijk verleidelijk. (Andy Warhol toonde een soortgelijk

Eddie-tweeluik, 1962
Eddie Diptych
Olieverf op linnen, twee panelen,
111,8 x 132,1 cm
Parijs, collectie dhr. en mevr. Michael
Sonnabend

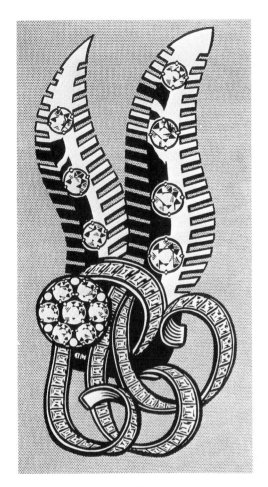

Grote juwelen, 1963
Large Jewels
Magna op linnen, 173 x 91,5 cm
Keulen, Museum Ludwig

De kus, 1962
The Kiss
Olieverf op linnen, 203,2 x 172,7 cm
Kansas City (Missouri),
collectie Ralph T. Coe

gevoel voor Marilyn Monroe in de portretten die hij na haar dood maakte.) Lichtensteins vrouwen komen niet meer uit stripverhalen, maar uit volstrekt humorloze kitschplaatjes die heen en weer slingeren tussen de uitersten van het gevoel van alledag. Zoals de meeste doorsneemensen nemen deze figuren zichzelf zeer serieus, ze zijn alleen ongewild en onbewust grappig. Juist daarom zijn ze zo geschikt voor Lichtensteins doeleinden. Hij gaat van een ander bewustzijn uit en misschien is juist dit verschil in bewustzijn het eigenlijke thema van zijn comic-schilderijen.

Verdrinkend meisje (afb. blz. 31) uit 1963 laat een meisje zien dat in de stortvloed van haar eigen tranen lijkt te verdrinken. Ze verdrinkt letterlijk in haar gevoelens en laat zich door de destructieve kracht ervan meeslepen. Brad, de man die zich met verschillende 'heldinnen' van Lichtenstein inlaat, moet haar erg hebben gekwetst. Zoals uit het 'gedachtenwolkje' blijkt, zou ze liever sterven dan hem te hulp roepen. Lichtenstein blijft hier dichter bij de gladde, duidelijker uitgevoerde tekenstijl van de comic; hier is niets meer te bespeuren van de stijve onbeholpenheid van het met een bal spelende zusje van het verdrinkende meisje. Het hoofd van het meisje heeft bijna monumentale vormen aangenomen: het gehele schilderij is ongeveer zo groot als een volwassen vrouw. Ze ligt in het water, als in een bed – een mengeling van erotiek en dood. Slechts haar lijdende gezicht, een stuk van haar blote schouder en een gemanicuurde hand steken uit het kolkende water dat haar omringt. De sierlijke golf die als een hoofdkussen om haar hoofd slaat, is niet zo groot dat ze gevaarlijk voor haar is, en daarom dringt de gedachte zich op dat haar melodramatische levensmoeheid misschien toch wat overdreven is. Wat betreft de golf, zo heeft Lichtenstein benadrukt, heeft hij zich laten inspireren door de beroemde kleurenhoutsnede *De grote golf* van de Japanner Hokusai, wat een verklaring kan zijn voor het decoratieve karakter ervan. Het ging Lichtenstein erom het hoogtepunt van een situatie fragmentarisch weer te geven, aangezien deze wijze van presentatie de toeschouwer verhinderde zich met de voorafgegane crisis te identificeren en de emotionele werking ervan reduceerde.

Er is nog een andere waterscène van Lichtenstein, maar met een betere afloop. *We stegen langzaam omhoog* (afb. blz. 10) uit 1964 is een soort onderwaterfilmopname. Twee jonge, knappe hoofdrolspelers van verschillend geslacht gaan op in een innige omhelzing. Hun gezichten, die elkaar in vorm en kleur bijna weerspiegelen, zijn verbonden door blauwgerasterde golflijnen. Het spaarzame en onderbroken kleurgebruik heeft een bijna procesmatig karakter. De kleurgeving beperkt zich tot de primaire kleuren en zwart op een witte achtergrond; heldere, harde geel- en blauwtonen overheersen. Door het raster ontstaat het effect van halfschaduw. Net als in *Eddie-tweeluik* (afb. blz. 33) is de tekst gescheiden van het beeld, op een afzonderlijk paneel. Het werkt als de commentaarstem in een film, oftewel het geeft ongezien commentaar bij de scène. De wat schuine, met de hand geschreven blokletters, onderbroken door stippeltjes (om ademloosheid en twijfel aan te geven), verplaatsen de toeschouwer in een positie van plaatsvervangende medespeler. Net als de lijnvoering in het schilderij zijn de handgeschreven letters zo anoniem mogelijk weergegeven. De tekst zelf is een van de kitscherig-

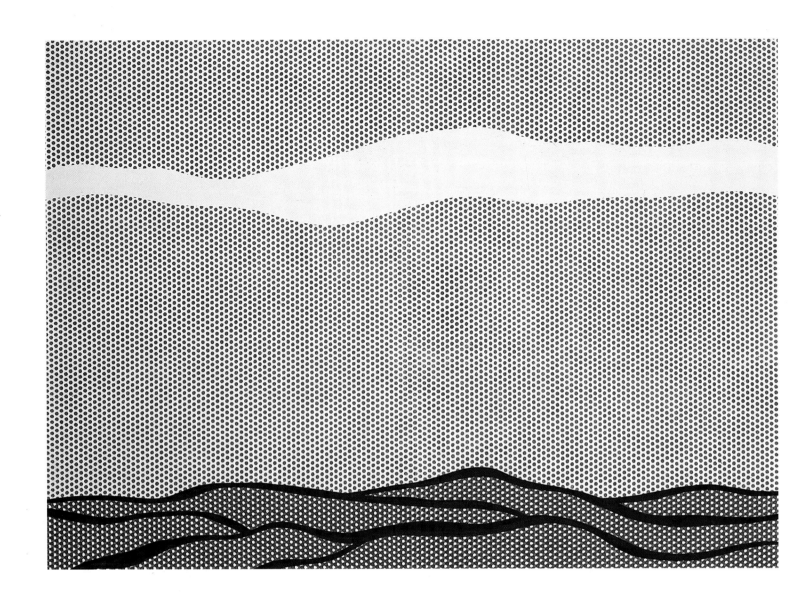

Landschap, 1964
Landscape
Magna op linnen, 122 x 172 cm
Keulen, Museum Ludwig

ste en zoetsappigste die ooit door Lichtenstein is gebruikt. Het sensuele gevoel van een dromerige zweeftoestand in het schilderij kan bij de toeschouwer wellicht zoiets als verlangen opwekken, zelfs wanneer hij zo slim zou zijn zich niet door deze clichématige erotiek te laten meeslepen.

Aan de hand van *We stegen langzaam omhoog* en *Verdrinkend meisje* is te zien dat Lichtenstein doelbewust met emotie overladen taferelen tegenover zijn gereduceerde, 'industriële' stijl stelde. Het gevolg is dat de emotie onecht lijkt, oftewel dat het veel te banaal overkomt om er door te worden geraakt. Andy Warhol zei eens dat de zestiger jaren de tijd was, waarin de mensen hun emoties niet meer kenden. 'Cool' zijn betekende dat men zijn uitingsmogelijkheden tot elke prijs onder controle moest houden. Ook Lichtenstein hield de gevoelens in toom, maar de toeschouwer moest bij hem nooit vergeten dat ze er eens waren geweest.

In de schilderijen met oorlogs- en gevechtsthema's wordt deze methode op de spits gedreven. In de op actie-comics gebaseerde oorlogsmotieven wordt het pathos van de tienerstrip met de kracht van de eerdere objectschilderijen verbonden. Hier vullen thema en scheppingskracht elkaar aan. Willekeurig uitgeknipte close-ups van oorlogshandelingen te land en in de lucht maken het de toeschouwer vrijwel onmogelijk om na te gaan waar het eigenlijk om gaat en of de 'goeden' winnen of niet. In *Takka Takka* (afb. blz. 23) uit 1962 wordt geen stelling genomen, dit ten gunste van een streven naar universele toepasbaarheid.

Wanneer men Lichtensteins schilderijen met het oorspronkelijke comic-knipsel vergelijkt, worden zijn veranderingen in tekst en beeld zichtbaar. In het originele voorbeeld vechten Amerikaanse mariniers op Guadalcanal (van augustus tot november 1942 probeerden ze het grootste eiland van de Britse Salomonseilanden in hun macht te krijgen). Bij Lichtenstein zijn het daarentegen 'soldaten' die op een niet nader aangeduid gevechtstoneel zijn ingezet. Het stripverhaal toont onder de loop van een machinegeweer een hand, terwijl Lichtensteins blijkbaar onbemande wapens de strijd onder elkaar lijken uit te vechten. Doordat Lichtenstein met minder en daarmee duidelijker aangegeven vormen en kleuren werkt, maakt hij het schilderij eenvoudiger en harder. De explosie is eerder op grafische wijze vormgegeven; het geschut is in horizontale stand weergegeven en het machineachtige karakter ervan wordt benadrukt. Zoals in bijna al zijn werk gebruikt hij alleen primaire kleuren, verder zwart en groen tegen een witte achtergrond. Net zoals in het origineel

Rode schuur II, 1969
Red Barn II
Magna op linnen, 112 x 142 cm
Keulen, Museum Ludwig

Man met de armen over elkaar, 1962
Man with Folded Arms
Olieverf op linnen, 177,8 x 121,9 cm
Milaan, collectie Vorst Panza di Biumo

verschijnt de tekst in een duidelijk afgebakend, horizontaal vlak bovenin het schilderij; de onderste rand daarvan is ononderbroken, waardoor beide beeldvlakken tot rechthoekige vormen en daarmee tot abstracte constructies worden. De helgele achtergrond doet de tekst sterk naar voren komen, zodat het naast de exploderende munitie zijn eigen plaats inneemt.

Lichtenstein was zeer geïnteresseerd in de vraag met welke symbolen het de commerciële illustratoren lukt zintuiglijke waarnemingen en ook abstracte kwaliteiten als belang en opwinding op de toeschouwer over te brengen. De woorden 'Takka Takka' imiteren het geluid van een machinegeweer. Maar hun visuele weergave suggereert zowel het lawaai als de weerzinwekkende brutaliteit van een ratelende stengun. Ook de explosie op de achtergrond is de duidelijk afgebakende visuele omschrijving van een gebeurtenis, die in werkelijkheid alleen als lawaai, licht, schok en reuk bestaat. De weergave van explosies werd zoiets als Lichtensteins handtekening; hij werkte dit motief onder andere uit in email-op-staal objecten en voor het Pop-omslag van het tijdschrift 'Newsweek' (25 april 1966).

De Nazi-commandant van een onderzeeër in *Torpedo ... los!* (afb. blz. 20) uit 1963 verwijst al duidelijker naar de Tweede Wereldoorlog. In de oppervlakkige wereld van het stripverhaal kan alleen de vijand zulke wenkbrauwen en zo'n litteken hebben. Net als in zovele van Lichtensteins schilderijen met menselijke stripfiguren heeft ook hier het gezicht enorme proporties aangenomen en vormt het het belangrijkste element van de compositie. Het is zo stevig tegen de telescoop gedrukt, dat mens en machine een eenheid worden; een dergelijke eenheid herinnert aan de industriële kunst uit de twintiger en dertiger jaren. In alle oorlogsstrips komen de soldaten over als onderdeel van hun wapens, net zoals de vrouwen in de tekeningen van consumptie-artikelen verlengstuk van hun huishoudelijke apparaten lijken te zijn.

Vanuit de in de zestiger jaren wijdverbreide protesthouding waren veel critici geneigd de oorlogsstrips als pacifistische stellingname te zien. Weliswaar ontstonden ze voordat de interventie van de Verenigde Staten in Vietnam escaleerde, maar toch leken ze precies samen te vallen met toen heersende anti-oorlogse sentimenten onder intellectuelen. Lichtenstein schilderde echter niet om de wereld te verbeteren. "Het is niet in de eerste plaats mijn bedoeling om met mijn oorlogsschilderijen militairistische agressiviteit belachelijk te maken. Ik vind persoonlijk dat onze buitenlandse politiek in veel opzichten barbaars is geweest, maar daar gaat het in mijn werk niet om, en ik wil deze wijdverbreide opvatting ook niet uitbuiten. Het thema van mijn werk betreft eerder onze Amerikaanse definitie van kunst en visuele communicatie."

Lichtensteins werk —en dat geldt in het algemeen voor de Amerikaanse Pop Art— is al te vaak, en onterecht, als maatschappij-kritisch geïnterpreteerd. In feite waardeerden de Pop-kunstenaars de lelijke en smakeloze voorwerpen die ze op een nogal perverse manier afbeeldden, juist omdat ze democratisch gemeengoed waren. Lichtenstein: "Hoe kan men tevreden zijn met uitbuiting? Hoe kan men tevreden zijn met de volledige automatisering van arbeid? Hoe kan men tevreden zijn met slechte kunst? Ik kan slechts zeggen dat ik deze zaken accepteer, omdat ze nu eenmaal bestaan in deze wereld."

Lichtenstein had niet de pretentie met zijn kunst een oordeel te vellen over de maatschappij, ook al had hij zijn eigen opvattingen. Hij kwam tot het inzicht dat de 'hogere' cultuur geen monopolie had op artistieke kwaliteit, en stelde opnieuw de vraag wat dan eigenlijk als kunst gold. Om de officieel gevestigde cultuur op intelligente en doelgerichte manier tegen te werken, moest hij haar grondig kennen.

Vicky, 1964
Email op metaal, 106 x 106 cm
Berlijn, Nationalgalerie
Aken, collectie Ludwig

Rasters, nader bekeken

Waar Andy Warhol in de stripschilderijen van Lichtenstein zo jaloers op was, waren de rasters. Meer nog dan de zwarte omlijning van de figuren en de beperkte keuze van industriekleuren leken de rasterpunten niet op hun plaats in een schilderij. Afzonderlijke stripelementen waren immers al veel eerder in de beeldende kunst opgedoken, maar dan hoogstens in het kader van een collage of als schilderkunstig motief. Lichtenstein ging echter zo ver, dat hij met de rasters het drukproces imiteerde en daarmee het belang van het gedrukte beeld benadrukte. De critici en commerciële kunstenaars die hem verweten dat hij niet genoeg afstand nam van zijn visuele voorbeelden, zagen duidelijk over het hoofd dat niet alleen de inhoud van het afbeelding, maar ook de stilering belangrijk is.

Hoewel Lichtenstein niet in al zijn vroege werk rasters gebruikte, werden ze toch het handelsmerk van zijn kunst en zijn ze tot op de dag van vandaag in zijn schilderijen terug te vinden. Omdat de 'Benday dots' zo'n belangrijke rol spelen in Lichtensteins werk, is het interessant een korte blik op hun geschiedenis te werpen, ook al heeft de schilder dat waarschijnlijk zelf nooit gedaan. De Amerikaan Benjamin Day (1838-1916) was zowel kunstenaar als uitvinder. Zijn vader was de oprichter van de krant 'Sun', wat het verdere verloop van zijn carrière ongetwijfeld heeft beïnvloed. Day studeerde kunsten in Parijs, maar keerde op zijn vijfentwintigste naar New York terug en werkte daar als illustrator voor 'Harper's' en andere publikaties. De illustraties werden toentertijd met inkt en potlood op een blok hout getekend en met de hand gesneden. Aan het einde van de zeventiger jaren deed een 'gemechaniseerd' procédé voor de reproduktie van arceervlakken zijn intrede. Ben Day was een van de eerste commerciële illustratoren die daarmee succes hadden, en zijn atelier werd zeer bekend. Rond 1878 ontdekte hij een methode voor het inkleuren van tekeningen die later overal ter wereld bekend stond als 'Ben Day Rapid Shading Medium'.

Deze methode om een handgetekende plaat drukklaar te maken, werd door het tijdschrift 'Scientific American' in de necrologie van Day uit 1916 uitvoerig beschreven: "Het principe van deze uitvinding bestaat uit een transparante, op een raam gespannen gelatinefilm, die aan de ene kant glad is en aan de andere kant een reliëf van lijnen, stippels of patronen heeft. De reliëfkant van de film wordt met een drukrol geïnkt, waarbij de film op een speciaal daarvoor ontwikkelde, beklede ondergrond ligt. De zo geïnkte film

Vergrootglas, 1963
Magnifying Glass
Olieverf op linnen, 40,6 x 40,6 cm
Privécollectie

Paris Review Poster, 1966
Zeefdruk in rood, geel, blauw en zwart,
101,6 x 66 cm
Uitgegeven door Paris Review

wordt (met de inktzijde naar beneden) op de beelddrager —metaal, steen of papier— gelegd, waarbij de tekening door de transparante film heen zichtbaar blijft. Door de op de achterzijde van de film uitgeoefende druk van een spatel of persrol wordt het geïnkte patroon van de film op de gewenste plaats in de tekening gedrukt.

Aanvankelijk stelde de uitvinder zich tevreden met opdrachten voor 'vlakke kleurvelden', maar spoedig zag hij in dat, wilde hij halftooneffecten als bij een houtsnede krijgen, het nodig zou zijn kleurschakeringen in lijnen en structuren tot stand te brengen. Voor dit doel ontwierp hij een regelmechanisme om de arcerende film te positioneren en —door middel van een fijnregeling— tegelijk de gewenste verschuiving van de film over de tekening mogelijk te maken; daardoor konden opeenvolgende drukgangen precies op de gewenste plek worden uitgevoerd, oftewel de eerste drukgang kon naar believen herhaald en daardoor geïntensiveerd worden. De zo gemaakte tekening werd ten slotte via een cliché-ets op een plaat overgebracht."

Het voor Lichtenstein-kenners wellicht meest verhelderende onderdeel in deze lange en gedetailleerde beschrijving is de term 'kleurschakeringen in lijnen en structuren'. Wat Ben Day deed, leek absoluut briljant: de verschillende onderdelen van het beeld werden als duidelijk afgebakende vlakken opgevat, die met kleine, regelmatige geometrische vormen konden worden ingevuld. Een dergelijke scheiding van het voorwerp van zijn uiterlijke verschijning eist een wel zeer groot abstractievermogen. Want het betekent dat in een beeld twee waarnemingsniveaus over elkaar heen vallen. Ben Day deed deze ontdekking natuurlijk niet alleen. Hij ontdekte slechts een industriële toepassing voor optische principes, die in de loop van de

Studie voor het schilderij
Gereedheid, 1968
Study for Preparedness
Magna op linnen, 142,5 x 255 cm
Keulen, Museum Ludwig

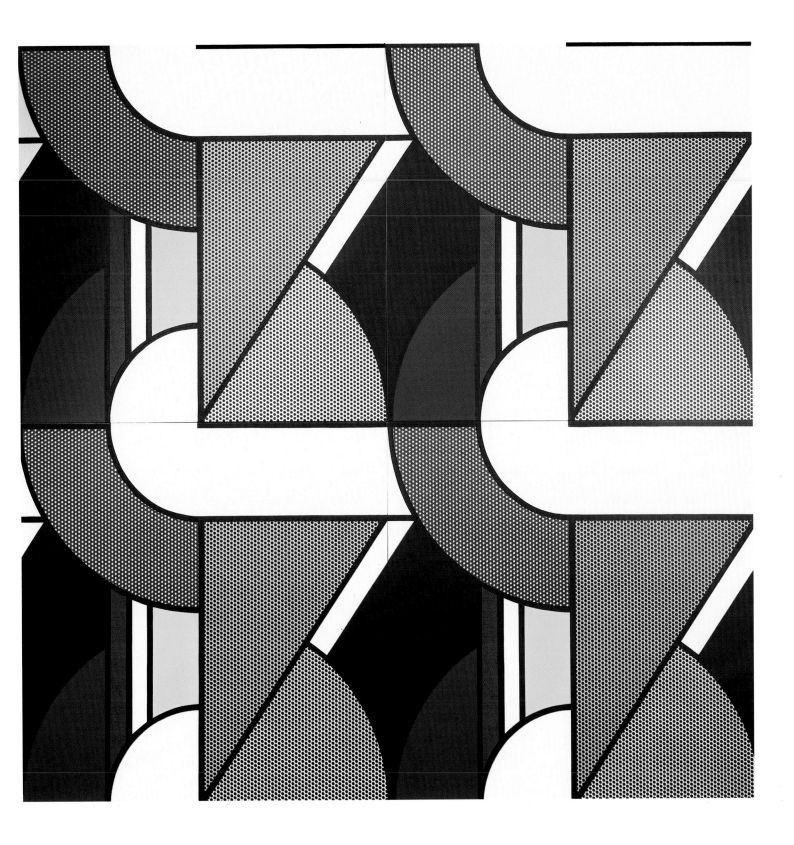

negentiende eeuw door kleurtheoretici als Jean Mile, John Ruskin en
Michel-Eugène Chevreul waren ontwikkeld. (Deze theoretici hadden
toentertijd ook Europese kunstenaars beïnvloed.) In het bijzonder zal
de 'Grammaire des arts du dessin' van Charles Blanc (Parijs, 1867)
invloed op hem hebben gehad, aangezien Blanc een mogelijke
optische mengeling van kleuren in punt- en stervorm op een heldere
achtergrond introduceert. In 1879 verscheen in New York van de
hand van Ogden N. Rood, een tijdgenoot van Ben Day, een leerboek
met de titel 'Modern Chromatics (Student's Text-Book of Color)',
waarin verschillende methoden van optische kleurmenging werden

**Modulair schilderij met vier panelen
nr. 2, 1969**
Modular Painting with four Panels No. 2
Olieverf en magna op linnen,
244 x 244 cm
Wenen, Museum Moderner Kunst –
Stiftung Ludwig

43

beschreven, waaronder het puntsysteem van Mile uit 1839. Roods leerboek werd ook in Frankrijk gelezen en had invloed op neo-impressionisten als Georges Seurat en Paul Signac. De uitvinding van Ben Day hangt dus samen met andere ontwikkelingen op het gebied van de optica, waarin objectieve visuele effecten werden geanalyseerd. Abstracte kunst is gebaseerd op dit negentiende-eeuwse onderzoek.

Het verhaal van Ben Day verklaart ook waarom een aantal kunsthistorici en critici bij de beschouwing van Lichtensteins werk aan Georges Seurat moest denken. In visueel opzicht is er een duidelijk verband tussen Seurats 'pointillisme' en Lichtensteins puntrasters, en sommige commentatoren hebben het laatste als een ironische verwijzing naar de stijl van Seurat beschouwd. De punten van Seurat en Lichtenstein komen zogezegd uit verschillende takken van dezelfde 'punt-familie', die elkaar feitelijk nooit ontmoet hebben. Ze hebben gemeen dat ze figuratieve onderwerpen op een abstracte manier behandelen.

Witte penseelstreek I, 1965
White Brushstroke I
Olieverf en magna op linnen,
121,9 x 142,2 cm
Philadelphia, collectie Irving Blum

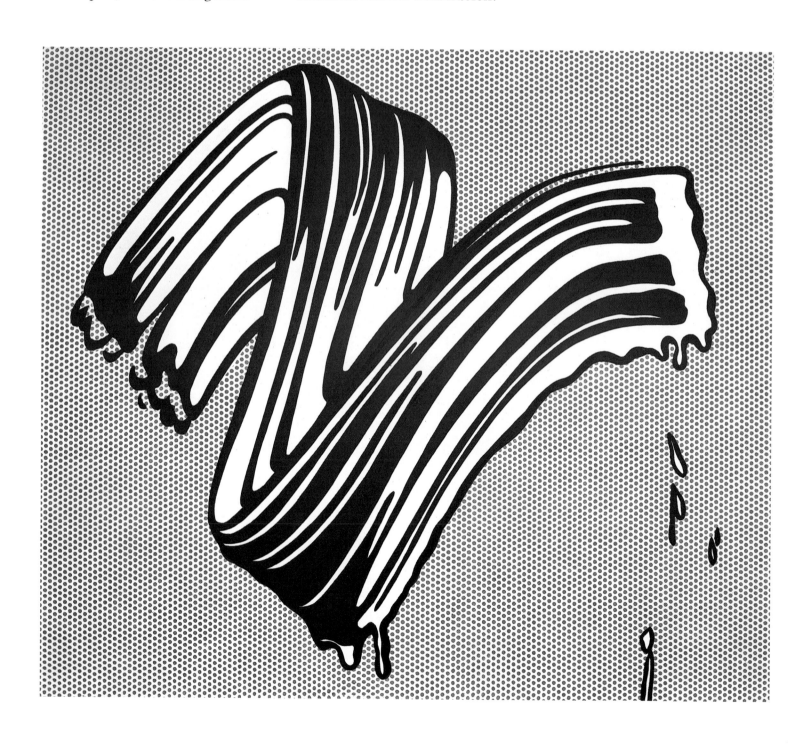

Lichtenstein zei in 1966 in een discussie met Bruce Glaser: "... wanneer ik eenmaal begonnen ben aan een schilderij te werken, wordt het voor mij tot een abstractie. De helft van de tijd staat het tijdens het schilderen sowieso op zijn kop." Hij citeert hiermee het Ben Day-proces, ook al voert hij het uit op een volstrekt onwetenschappelijke manier die in het geheel niet past bij de mechanische precisie van Day.

De kunsthistorica Diane Waldman heeft beschreven hoe Lichtenstein zijn tekeningen ontwikkelde. In 1961 imiteerde hij Days regelmatige reliëfpatroon door middel van een hondeborstel en een plaat aluminium, waarin hij gaten had geboord. Hij legde de plaat op de tekenschets, doopte de borstel in de verf en veegde daarmee over de aluminiumplaat. Het patroon dat ontstond door deze methode, vond hij niet regelmatig genoeg, en daarom ging hij al snel tot de frottagetechniek over. *Voetbehandeling* uit 1962 of *De kus* (afb. blz. 35) uit 1963 zijn typische voorbeelden van frottage, waarin de donkere overlappingspunten afsteken tegen de lichtere achtergrond. Lichtenstein maakte een tekening, legde het papier op het rastervlak (een fijn gaas zoals gebruikt in deur- en raamhorren tegen muggen) en wreef er met een potlood over. Daarmee draaide hij de werkwijze om, maar dat leek hem niet al te zeer te storen. Wat hem daarentegen wel stoorde, was de onregelmatige achtergrondtoon zoals die door het wrijven met de hand ontstond. In 1963 experimenteerde Lichtenstein met verschillende soorten gaas en geperforeerde platen. Hij gebruikte het vlechtwerk zelfs als sjabloon door het op papier te leggen en met een soort steenkrijt te bestrooien. Met deze 'pochoir'- of sjabloontechniek bereikte hij precies die mechanisch ogende regelmatigheid waar het hem om te doen was. Zoals men in *Kluwen twijngaren* (afb. blz. 47) uit 1963 kan zien, is er van een handgetekende kwaliteit nauwelijks meer iets te bespeuren. Vanaf deze tijd werkte Lichtenstein alleen nog maar met sjablonen.

Groene en gele penseelstreken, 1966
Yellow and Green Brushstrokes
Olieverf en magna op linnen,
214 x 458 cm
Frankfurt, Museum für Moderne Kunst

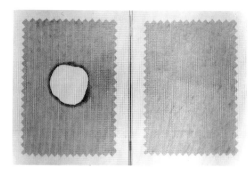

Als nieuw, 1962
Like new
Olieverf op linnen, twee panelen,
91,4 x 142,2 cm
New York, collectie Robert Rosenblum

Gezien deze pogingen van Lichtenstein om de mechanische kwaliteit van Day te benaderen, kunnen sommige van zijn tekeningen en schilderijen op een extra niveau, samenhangend met zijn artistieke ontwikkeling, gewaardeerd worden. Rond 1962 tekende Lichtenstein een serie objecten die van nature al een regelmatig patroon als oppervlak hebben. Sommige worden door rasters weergegeven, andere niet. *Golfbal* (afb. blz. 26), *Sok* (afb. blz. 7), *Kluwen twijngaren* (afb. blz. 47) en natuurlijk de geheel op grafische wijze afgebeelde *Band*, alle uit het begin van de zestiger jaren, kunnen in dit verband genoemd worden. In het schilderij *Als nieuw* (afb. links) uit 1962 heeft Lichtenstein er plezier in om het misschien wel belangrijkste materiaal waarmee hij in die tijd werkte, als thema te nemen. Het doek toont twee stukken vliegengaas, die aan de rand zijn afgeknipt met een gekartelde schaar. Het eerste heeft in het midden een groot gat, waardoor de vliegen naar binnen kunnen komen. Lichtenstein heeft het vlechtwerk op zijn manier 'gerepareerd'. In *Vergrootglas* (afb. blz. 41) uit 1963 zorgt hij ervoor dat niemand het 'punt' (oftewel de honderden punten) mist door dit optische hulpmiddel in het beeldvlak te brengen.

Maar wat men onder het vergrootglas ziet, kan de toeschouwer niet werkelijk tevreden stellen. De rasterpunten, groot of klein, drukken niets uit en verraden absoluut niets van de persoonlijkheid van de kunstenaar die ze heeft geplaatst. Sinds 1963 gebruikt Lichtenstein een overheadprojector om zijn naar voorbeelden gemaakte tekeningen op het doek te projecteren, en vaak neemt hij een assistent in dienst die de omlijnde vlakken met puntrasters moet invullen. Lichtenstein heeft er een plausibele verklaring voor: "Ik mag mezelf niet herhalen, maar wanneer ik zin heb om zwarte punten op een witte achtergrond te veranderen in witte punten op een gele achtergrond, vraag ik een assistent de betreffende vlakken over te schilderen en de verandering aan te brengen. Dan kan ik bekijken hoe de verandering er uitziet, en dat bespaart me twee dagen werk. Eigenlijk heb ik geen assistent nodig, maar op deze manier kan ik mijn energie ergens anders voor gebruiken... Wanneer iemand anders op precies dezelfde wijze de sjablonen maakt en de punten schildert als ik het zou doen, zie ik niet in waarom ìk het zou moeten doen. Niettemin wil ik graag wat saai werk doen. Ik denk niet dat het goed zou zijn om alleen maar aan het bureau te zitten en de hersens te pijnigen..., en daarom ben ik tussendoor ook steeds weer zelf met de schilderijen bezig."

Toen Lichtenstein Days kleurpatroon-idee begon te gebruiken, gebruikte hij in elk specifiek schilderij slechts één puntgrootte (natuurlijk met uitzondering van *Vergrootglas*). Dat was heel logisch, aangezien het economische aspect van het drukproces zijn referentiepunt was, en het puntraster was het patroon dat commercieel gezien het meest werd gebruikt. Door de verdubbeling en de lichte verschuiving van het patroon werd een intensiever en genuanceerder effect bereikt. Lichtensteins versies van de kathedralen en hooibergen van Monet zijn goede voorbeelden hiervan. Vanaf 1969 paste Lichtenstein daarnaast nog een andere patroonvorm toe. Door diagonale arceringen –alleen of, in sommige grotere schilderijen, samen met punten– maakte hij de schilderijen afwisselender. Lichtenstein zei dat de arceringen aan zijn werken een nieuwe optische kwaliteit verleenden,

waardoor de kleurwaarneming van de toeschouwer werd veranderd. Ook hiermee greep hij terug op historische voorbeelden, want ook Ben Day had soms lijnen in zijn schaduwingssysteem gebruikt.

In schetsen hadden de strepen al de plaats ingenomen van punten, omdat ze sneller en gemakkelijker waren te tekenen. Maar als bewust toegepaste, formele elementen de deden ze pas hun intrede,

Kluwen twijngaren, 1963
Ball of Twine
Acryl op mousseline, 102 x 91,4 cm
Privécollectie

Hooiberg, 1969
Haystack
Zeefdruk, 49 x 66 cm
Oplage: 250 exemplaren

nadat Lichtenstein figuratieve objecten had gemaakt, die een directe afgeleide waren van zijn schilderwerk. Een plastiek als *Staande explosie* uit 1965 bestaat uit geperforeerd staal, waarmee punten in negatief worden getoond; positieve punten waren in plastieken onmogelijk, aangezien ze niet in de vrije ruimte konden zweven. In zijn verschillende objectseries, zoals *Kop en schotel* (afb. blz. 60), *Expressionistisch hoofd* of de Matisse-achtige *Goudviskom* (afb. blz. 61), benadrukt het arceringseffect van de diagonalen de lineaire kwaliteit van het hele object. Deze plastieken verbluffen op een of andere manier, alsof ze van het doek in de realiteit terecht zijn gekomen. Vooral de *Lampen* met hun krachtige lichtstralen of de grote, vrijstaande *Zeemeermin* die dag en nacht door de zon wordt beschenen, irriteren de toeschouwer omdat hun tweedimensionale oorsprong niet te rijmen is met hun driedimensionale aanwezigheid.

Nadat Lichtenstein ongeveer vijf jaar lang in zijn stijl had gewerkt, leek deze zich in zijn handen te veranderen en een andere richting in te slaan. Langzamerhand wonnen verschillende patroonsoorten aan betekenis. De puntrasters veranderden van een symbool voor het kleurendrukproces in een abstracte structuur of een decoratief instrument. Enkele van de *Trompe-l'oeil*-schilderijen (afb. blz. 50) hebben een achtergrond van gevlamd hout, wat niet alleen een verwijzing naar de Amerikaanse traditie van trompe-l'oeil-kunst is, maar ook een nieuw stijlmiddel om het tweedimensionale vlak van het doek te decoreren. De vlammen in het hout staan visueel in samenhang met de diagonale lijnen die de rasterpunten hadden vervangen. In andere werken begon Lichtenstein de grootte van zijn rasterpunten te variëren, waarmee hij met de bestaande vorm-ontwikkelingen in de stripkunst meeging. Door verlooprasters lijken de punten in een theoretisch diepere dimensie op te lossen. Vooral in de *Spiegels* (afb. blz. 75–79) en de *Architectuurfriezen* (afb. blz. 80) worden de punten op deze manier toegepast. Verlooprasters kunnen een beeldvlak ook levendiger maken, namelijk daar waar ze golf-patronen lijken te beschrijven zoals in *Bosgezicht* (afb. blz. 69) uit 1980, een werk dat verwijst naar een schilderij van de Duitse expressionist Franz Marc. In dit schilderij zijn er zowaar afzonderlijke vlakken met duidelijk zichtbare penseelstreken – aldus terugkomend op zijn rastertonen. In deze late werken laat Lichtenstein een beperkte hoeveelheid expressionisme toe.

Na deze uitweidingen over rasterpunten en hun functie denkt de toeschouwer misschien dat hij precies weet waarom Lichtenstein ze heeft gebruikt. Dat zou echter meer zijn dan de kunstenaar zelf zou toegeven. In een interview met John Coplans uit 1970 zei hij: "De rasterpunten kunnen een puur decoratieve betekenis hebben, of ze kunnen een industriële methode voor het toepassen van meerdere kleuren of data-informatie aangeven, of uiteindelijk ook dat het schilderij een vervalsing is. Een Mondriaan met een puntraster is duidelijk een vervalste Mondriaan. Ik geloof dat dat de verschillende betekenissen zijn die de punten hebben gekregen, maar ik ben er niet echt zeker van of ik dat niet alles gewoon bedacht heb."

"Men zal mijn werken waarschijnlijk nauwelijks voor niet-satirisch houden of denken dat ze geen stelling nemen. (...) Ik ben er niet helemaal zeker van welke sociale boodschap mijn werken hebben, als ze er al een hebben. Ik wil er eigenlijk helemaal geen overbrengen. Wat betreft mijn thema's interesseert het me niet om de samenleving iets te leren of op een of andere manier onze wereld te verbeteren."
ROY LICHTENSTEIN

Lichtensteins kunstopvattingen

Wanneer Lichtenstein een schilderij maakte, leek het alsof hij met alle aspecten die iets met kunst te maken hadden, bezig was: wat is kunst, wie maakt kunst, wanneer en met welk doel? Dit artistieke zelfonderzoek uitte zich bij hem op twee manieren. Of hij werkte met toespelingen en associatieve middelen (Hokusais golf in *Verdrinkend meisje* of Mondriaans ovale composities in *Golfbal*), of hij verdiepte zich min of meer direct in het werk van een andere kunstenaar (Gilbert Stuarts portret van George Washington, afgebeeld in een Hongaarse krant). Het bezeten zoeken naar voorbeelden uit de geschiedenis van de beeldende kunst is de rode draad die vanaf de eerste kubistische versies van Remingtons westerntaferelen door zijn gehele werk loopt.

Voor Lichtenstein was het bijna onmogelijk de kunst met die eerbiedige houding tegemoet te treden, waarmee de gevormde middenklasse haar benaderde. De aura, waarmee zij werd omgeven, was niets anders dan een grote luchtballon, en Lichtenstein kon de verleiding niet weerstaan die door te prikken. De afstandelijke, koele banaliteit van zijn strip- en reclameschilderijen was een belediging voor de kunst als zodanig, voor die eerbiedwaardige institutie die traditioneel is verbonden met intellectuele en spirituele waarden. Het grote schilderij *Art* (afb. rechts) uit 1962 was zoiets als een als wanddecoratie bedoeld prestige-object dat de eigenaar duidelijk als een verzamelaar, als een gecultiveerd mens, moest tonen. Kunst was tot handelswaar geworden, tot symbool van een verzamelaarsklasse, tot een incestueuze, esthetische verhouding, beladen met metafysische implicaties. Als institutie had de kunst het contact met de werkelijkheid verloren en dit contact moest weer worden hersteld in de vorm van de Pop-cultuur. Zoals Allan Kaprow, happeningkunstenaar en kunsthistoricus, het formuleerde: "Een wandeling door de 14th Street is fascinerender dan welk meesterwerk der kunst ook."

De volgende door Kaprow overgeleverde anekdote illustreert zeer duidelijk hoe radicaal afwijzend de avant-garde in die tijd tegenover de beeldende kunst stond. Op een dag was Kaprow met zijn gezin bij Lichtenstein op bezoek. De vrouwen en kinderen gingen met de auto iets te eten halen, en ondertussen spraken beide kunstenaars over hun werk. Kaprows anekdote is zo interessant, dat het de moeite waard is haar uitvoerig te citeren: "... Ik sprak met Roy over het lesgeven – hoe moest men studenten het gevoel voor

Art, 1962
Olieverf op linnen, 91,4 x 172,7 cm
Minneapolis (Minn.),
collectie Gordon Locksley

Trompe-l'oeil met Léger-hoofd en verfkwast, 1973
Trompe-l'oeil with Léger Head and Paintbrush
Magna op linnen, 116,8 x 91,4 cm
Privécollectie

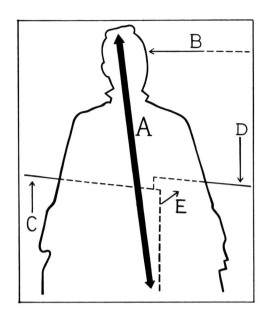

Portret van Madame Cézanne, 1962
Portrait of Madame Cézanne
Magna op linnen, 172,7 x 142,2 cm
Los Angeles (Ca.), collectie Irving Blum

Stilleven met citroenen, 1975
Still-life with Lemons
Acryl op linnen, 228,5 x 152,5 cm
Aken, Neue Galerie – collectie Ludwig

kleur bijbrengen. Roy was toentertijd zeer uitvoerig met Cézanne bezig. De auto kwam terug en de kinderen hadden allemaal kauwgumpapiertjes –Bazooka Double– met stripverhaaltjes erop. Ik nam een van de papiertjes en streek het glad, en ik herinner me nog dat ik fijntjes tegen Roy zei: 'Kleur kun je niet aan de hand van Cézanne leren, maar alleen door zoiets als dit.' Hij keek me zeer geamuseerd aan. 'Kom mee', zei hij. Ik volgde hem naar boven, naar zijn atelier dat zich op de eerste verdieping bevond. Tegen de muur stond een grote stapel abstracte schilderijen. Hij zette ze allemaal weg en liet mij een ervan, die helemaal achteraan stond, zien: het was een abstract werk met Donald Duck erop. Eerst was ik volledig sprakeloos. Twee tellen later barstte ik uit in een bulderend gelach. Het was alsof hij bevestigde wat ik zojuist had gezegd."

In tegenstelling tot Kaprow was Lichtenstein in staat zowel een Cézanne als een kauwgumpapiertje op waarde te schatten. Volgens hem konden beide een bron van inspiratie voor de moderne kunst zijn. Vanzelfsprekend werkte Lichtenstein, die niet erg van musea hield, niet naar originele schilderijen. Kunstenaars als Cézanne en Picasso had hij vooral via reprodukties leren kennen, wat theoretisch gezien betekent dat ze tot het niveau van 'druksel' werden teruggebracht. Beiden waren beroemde kunstenaars die welhaast als synoniem en prototype van de avant-garde golden. Aanvankelijk uiterst fel afgewezen en bestreden, werden zowel Cézanne als Picasso later als de pioniers van de abstractie gevierd. (Daarbij ging het hen er eigenlijk om om de werkelijkheid op een realistische manier weer te geven.)

De moderne kunst is onlosmakelijk verbonden met deze twee namen, net als met die van Mondriaan, Matisse en Léger, van wie Lichtenstein later enkele werken zou omwerken tot zijn eigen schilderijen. Zo te zien was het voor Lichtenstein belangrijk om terug te grijpen op de 'giganten' van het modernisme, want de massale reproduktie van hun werk op kunstkalenders en ansichtkaarten had hen op zo'n manier gepopulariseerd, dat ze op hun beurt tot clichéfiguren waren geworden. Dat deze kunstenaars bovendien een belangrijke plaats in de kunstgeschiedenis innamen, maakte Lichtensteins ironische citaten des te effectiever.

Wanneer Lichtenstein werken van bepaalde kunstenaars uitzoekt om om te vormen, heeft dat ook nog andere redenen. Zo heeft hij ook gewezen op de formele affiniteiten die tussen zijn eigen stijl en die van de betreffende kunstenaar bestaan. Léger, Matisse, Picasso en Mondriaan zijn bijvoorbeeld daarom zo bijzonder, omdat ze op een bepaald moment in hun lange, scheppende leven een opvallende voorliefde toonden voor heldere, ononderbroken kleuren en voor zwartomlijnde figuren. Lichtenstein werkte zowel met de stijl van de kunstenaar die hij zich toeëigende, als ertegenin. En het ging hem niet zozeer om bepaalde schilderijen als wel om specifieke stijlen.

In verband met zijn anekdote over het kauwgumpapiertje spreekt Kaprow ook over Lichtensteins fascinatie voor Cézanne en wijst ons op twee schilderijen uit 1962, waarbij voor elk een werk van Cézanne model stond. Bij *Portret van Madame Cézanne* (afb. boven) werkte Lichtenstein zoals altijd aan de hand van een reproduktie, dit keer uit een boek over Cézanne. De schrijver Erle Loran had hier geprobeerd het portret van Madame Cézanne met behulp van een compositie-

Stilleven met zilveren kan, 1972
Still-life with Silver Pitcher
Olieverf en magna op linnen,
129,5 x 152,4 cm
Seattle, collectie
Mr. en Mrs. Bageley Wright

schema analytisch te ontleden – een in die tijd volstrekt geaccepteerde methode in de kunstwetenschap. Loran tekende de contouren van de figuur over en voorzag ze van pijlen en letters om de velden en richtingen aan te duiden. Verondersteld werd dat de pijlen behulpzaam zouden kunnen zijn bij de analyse van de door de kunstenaar bedoelde even- en tegenwichten. Hoewel zulke schematische voorstellingen verwarrend konden zijn, hadden ze toch de pretentie zeer wetenschappelijk te zijn. Lichtenstein, die regelmatig kunstwetenschappelijke literatuur raadpleegde, moet pret hebben gehad over de schematische voorstelling, waarin geworsteld werd met de compositorische rangschikking van de verschillende lichaamsdelen en bovendien het eigenlijke van het portret –namelijk de schilderkunstige kwaliteit ervan– buiten beschouwing werd gelaten. Dat is des te vreemder als men bedenkt, dat juist de manier waarop Cézanne zijn beeldvlakken in structurele eenheden verdeelde, kunsthistorisch gezien zo belangrijk was. Picasso bestudeerde het late werk van

Cézanne grondig en ontwikkelde vandaaruit zijn kubisme. (Nu we de rasterpunten nader hebben bekeken, wordt duidelijk dat Lichtenstein waarschijnlijk door Cézanne was gefascineerd vanwege diens beeldvlakverdeling.) Ondanks visuele ervaring en kunsthistorische kennis, had Loran Madame Cézanne net zulke scherpe contouren gegeven als het geval was bij Lichtensteins stripfiguren. Loran, die tevergeefs probeerde Lichtenstein een proces aan te doen, had in zekere zin van Madame Cézanne een cartoon gemaakt, en daarin herkende Lichtenstein een overeenkomst met zijn eigen werk: "Het schilderij van Cézanne is ongeloofelijk complex. Om een scherp omlijnde figuur te tekenen en die dan 'Madame Cézanne' te noemen, bewijst alleen al een zekere humor, en vooral het idee om uitgerekend van een Cézanne een schematische voorstelling te maken, terwijl die toch zei: 'De contouren glippen mij uit de handen.' Natuurlijk kun je van schilderijen contouren maken, daar is niets tegen in te brengen. Het ging me er ook niet om Erle Loran de les te lezen, want als je over schilderijen iets zegt, moet je ook iets doen, maar het is toch een ongehoorde versimpeling om te proberen een werk met A, B, C, pijlen enzovoort te verklaren. Ik heb overigens net zoveel schuld daaraan. De *Man met de armen over elkaar* (het voorbeeld komt eveneens uit Lorans boek) is, hoewel volstrekt vereenvoudigd weergegeven, altijd nog te herkennen als een Cézanne. Stripverhalen zijn zo getekend, dat ze in dienst staan van de communicatie. Bij een kunstwerk kun je bijna dezelfde vormen toepassen."

In 1962 schiep Lichtenstein zijn eigen versie van Picasso's kubistische schilderij *Femme au Chapeau* (afb. blz. 58). De vrouw

AFBEELDING BLZ. 56:
Stilleven met figuur, 1973
Still-life with Figure
Olieverf en magna op linnen,
101,6 x 77,5 cm
Keulen, Museum Ludwig

AFBEELDING BLZ. 57:
Stilleven met cactus, 1978
Interior with Cactus
Olieverf en magna op linnen, 72 x 60 cm
Saarbrücken, Saarland-Museum

Stilleven met net, schelp, touw en katrol, 1972
Still-life with Net, Shell, Rope and Pulley
Olieverf en magna op linnen,
152 x 234,5 cm
Keulen, Museum Ludwig

verschijnt voor een zinderende, gerasterde achtergrond en haar borsten zwellen op als de deinende borsten van de meisjes uit het tiener-stripverhaal. Op het eerste gezicht is men geneigd deze verandering als een karikatuur van Picasso's schilderij te zien; enkele critici hebben deze transformatie ook in die zin opgevat. Maar wanneer men Lichtensteins versie beter bekijkt, blijkt deze interpretatie onhoudbaar. De kleuren zijn helderder geworden en beperkt tot een primair blauw en geel, de vormen zijn vereenvoudigd en hebben alle hetzelfde compositorische gewicht. Lichtenstein heeft zijn eigen stijl met de door Picasso gegeven vormen verbonden en daardoor de compositie voor zijn eigen doeleinden weten om te zetten. Wat daarbij te voorschijn komt, is iets heel nieuws en heeft in het geheel niets meer te maken met de historische situatie van het kubisme. Het lijkt er meer op dat een nog onderontwikkelde cultuur opnieuw de verworvenheden van een hoger ontwikkelde cultuur probeert te scheppen, waarbij vervolgens nieuwe mengvormen ontstaan, die hetzij mooi, hetzij grotesk kunnen worden – beide is mogelijk. "Eigenlijk zou ik zoiets als een 'gepopulariseerde' Picasso willen maken, iets wat er als een misverstand uitziet en toch zijn eigen waarde heeft."

Maar waarom zou Lichtenstein stripvormen op een Picasso willen overbrengen? Allereerst zijn er de voor de hand liggende formele aspecten die Lichtenstein fascineerden, zoals de zwartomlijnde vormen bij Picasso of de reductie van een figuur tot vlakken. Maar er was nog een andere, doorslaggevende reden, die iets te maken had met de status van Picasso als kunstenaar. Dat wil zeggen dat Lichtenstein zijn keuze niet zozeer liet vallen op een bepaald belangrijk schilderij vanwege de betekenis ervan, maar dat hij veeleer Picasso zelf gebruikte. Aan het begin van de zestiger jaren was de naam Picasso immers gemeengoed en de kunstenaar een soort volksheld geworden. Lichtenstein: "Men had het gevoel dat in ieder huis eigenlijk een reproduktie van Picasso zou moeten hangen." Met ander woorden: wat Lichtenstein interesseert, is het genie uit de catalogi- en ansichtkaartenstand in het museum.

Wanneer Lichtenstein de werken van andere bekende kunstenaars vertaalt, volgt hij een lange traditie in de kunstgeschiedenis. Dat daarin lang niet altijd een vorm van respect voor de oudere kunstenaar tot uitdrukking kwam, kan men zien in Picasso's interpretatie van een kunstenaar als Velázquez. Lichtenstein is zich bewust van de ironie die in een dergelijke handelwijze besloten kan liggen, bijvoorbeeld in zijn *Femme d'Algier* (afb. boven) uit 1963: "Picasso maakte *Femme d'Algier* naar een schilderij van Delacroix, en vervolgens maakte ik mijn schilderij naar het zijne." De Picasso-versie is door Lichtenstein echter weer radicaal veranderd, en zijn transformatie lijkt op het origineel als een formica tafelblad op de eikehouten versie. Een dergelijke aanpassing, of liever verandering van het werk van andere kunstenaars roept vele vragen op en kan de toeschouwer ertoe brengen over begrippen als waarde, schijn, herkenbaarheid, stijl en originaliteit na te denken.

Moderne schilderijen, waarin al eerder de uitwerking van de industriële revolutie op de kunst tot thema was gemaakt, ondergaan niet dezelfde absolute schok, wanneer ze door Lichtenstein worden behandeld. Zo gaat het bijvoorbeeld in *Non-Objective I* overduidelijk

Femme d'Algier, 1963
Olieverf op linnen, 203,2 x 172,7 cm
New York, collectie
Mr. en Mrs. Peter Brant

Femme au Chapeau, 1962
Olieverf en magna op linnen,
173 x 142,2 cm
Meriden (Con.), collectie
Mr. en Mrs. Burton Tremaine

59

Kop en schotel II, 1977
Cup and Saucer II
Beschilderd brons,
111,1 x 64,1 x 25,4 cm
Oplage: drie exemplaren
Privécollectie

Goudviskom II, 1978
Goldfish Bowl II
Beschilderd brons,
99,1 x 64,1 x 28,6 cm
Oplage: drie exemplaren

om de nieuwe versie van een schilderij van de Nederlandse constructivist Piet Mondriaan; hier worden zwarte rasterpunten op een witte ondergrond gebruikt om grijze vlakken te creëren, net zoals Mondriaan ze geschilderd had.

De industriële kwaliteit die Lichtenstein wil bereiken, beheerste ook de vroege abstracte kunst, zoals ze in de twintiger jaren door de Nederlandse groep 'De Stijl' werd vertegenwoordigd. Op het eerste gezicht ziet het origineel er uit alsof het niet objectiever en afstandelijker gemaakt zou kunnen worden. Maar in werkelijkheid openbaart zich bij Mondriaan dezelfde tegenstrijdigheid als bij Lichtenstein. Wanneer men namelijk hun beide schilderijen —in een museum in plaats van als een reproduktie in een boek— van zeer dichtbij bekijkt, komen ze, ondanks alle tegenovergestelde aanspraken, slordig en menselijk over. Potloodstrepen, zeer kleine correcties of onregelmatig geschilderde lijnen verraden in beide gevallen het handschrift van de kunstenaar.

In veel van zijn schilderijen stak Lichtenstein echter de draak met de artistieke scheppingsdrang, zoals in *Composities* (afb. blz. 62) uit 1964 (hiervan bestaan meerdere versies). Op het eerste gezicht lijkt het grote schriftomslag op een van zijn eerdere objectschilderijen. Het schrift vult het gehele doek en doet daarmee denken aan het tien-dollarbiljet; ook kan men denken aan de abstracte vormgeving van het oppervlak van de golfbal. Daarmee is echter nog niet alles gezegd over de betekenis van het object; het gaat hier veeleer om een ironische en intelligente verwijzing naar een bepaalde kunststijl, alsook naar een alledaags voorwerp. Het is precies dat type schrift, waarin nagenoeg alle Amerikaanse schoolkinderen ooit hun 'composities' —hun opstellen— hebben geschreven. De zwarte versiersels op het omslag zijn industrieel vervaardigde kopieën van handgemarmerd papier. Maar het zwart-wit ontwerp, dat het hele vlak vult, doet op een of andere manier ook aan Jackson Pollocks 'Drip paintings' denken, afgezien van het feit dat de schilderijen van deze abstract expressionist natuurlijk niet industrieel vervaardigd zijn en de vorm ervan vloeiend is. Het is alsof het alom te koop zijnde schrift Lichtenstein het werk uit handen heeft genomen, doordat het Pollocks motieven heeft gereduceerd en verhard. Het woord 'composities' geeft op humoristische wijze precies die bezigheid aan, waarmee de kunstenaar zijn tijd doorbrengt. Het kan ons er ook aan herinneren dat de formele aspecten van een schilderij —de rangschikking van vormen en kleuren op het doek en de uitvoering door de kunstenaar— belangrijker zijn dan het onderwerp wat betreft de duurzaamheid van de indruk die het achterlaat. Aan de andere kant lijkt het woord 'composities', dat immers bewust gecontroleerde esthetische beslissingen suggereert, niet helemaal het passende begrip te zijn voor Pollocks spontane Action Painting-methode.

In de tijd dat Lichtenstein aan het begin stond van zijn artistieke loopbaan, was de manier waarop een schilderij werd uitgevoerd misschien wel het aspect waarover het meest gesproken werd. Vanaf het begin van de vijftiger jaren beheersten verschillende stromingen van het abstract expressionisme de Newyorkse kunstwereld. Voor de abstract expressionisten en de met hen sympathiserende critici was het dan ook een behoorlijke schok dat ze vanaf 1961 zo snel de gunst van het publiek verspeelden. De in vergelijking zo

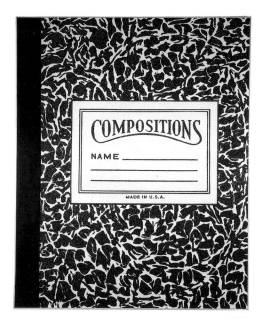

Composities I, 1964
Compositions I
Olieverf en magna op linnen,
172,7 x 142,2 cm
Frankfurt, Museum für Moderne Kunst

anonieme en machinale Pop Art werd als de uitdagender, eigentijdsere kunstrichting gezien. Al die met betekenissen beladen expressiviteit van de 'wilde' schilderkunst was plotseling niet meer in.

Lichtensteins *Penseelstreek*-serie (afb. blz. 44, 45) moet in dit verband gezien worden, ook al ontstond deze pas in 1965. Hij kwam op dit idee door het stripbeeld van een waanzinnige geleerde, die het gezicht van een hem achtervolgende onverlaat met een grote X-vormige penseelstreek doorkruiste. Langzamerhand werd de penseelstreek een zelfstandig onderwerp. In een interview verklaarde Lichtenstein: "Ik ontwikkelde daarvoor een vorm die overeenkomt met wat ik bij de explosies, vliegtuigen en mensen probeerde te doen, namelijk een standaard te vinden – een stempel of een symbool. De penseelstreek was erg moeilijk. Ik kwam al heel vroeg op het idee via mijn Picasso- en Mondriaan-schilderijen, en dat leidde me onvermijdelijk naar De Kooning." Net als Jackson Pollock was ook De Kooning een symboolfiguur die de abstract expressionistische stijl belichaamde. Daarin leek hij op Picasso en Mondriaan die immers zelf telkens met een eigen stijl werden geïdentificeerd.

Lichtenstein kwam tot de vorm van de penseelstreek door het overtekenen van de werkelijke streken: met penselen zette hij streken verf op een acetaatfilm. Nadat ze waren opgedroogd, kon hij deze penseelstreken op een doek projecteren, daarna natekenen en uitschilderen. Met de penseelstreken wordt het spontaan aanbrengen van de verf gesuggereerd, en men ziet zelfs de verf op het doek naar beneden druipen. Duidelijke lijnen begrenzen de streken zoals ze verondersteld worden door de afzonderlijke penseelharen neergezet te zijn; de druppels zijn van contouren voorzien. Het onbeschilderde doek is opgevuld met rasterpunten, waardoor de penseelstreek op een merkwaardige manier loskomt van de achtergrond. Bij Lichtenstein is het tastbare materiaal, de verf, verstard en opgedroogd, net alsof de kunstenaar elk spoor van menselijke activiteit voorgoed uit zijn werk wil bannen. Het indrukwekkende formaat van de versteende penseelstreken maakt ze tot gedenktekenen voor het heroïsche medium van de schilderkunst, dat letterlijk op het slagveld is 'gesneuveld'.

Hoewel Lichtenstein zich eigenlijk verbonden zou moeten voelen met de kunstenaars die –net als hij– kunstvormen tot een helder, industrieel minimum probeerden terug te brengen, kon hij zich niet identificeren met hen, die zichzelf als de scheppers van een nieuw classicisme beschouwden. Daarvoor was hijzelf waarschijnlijk te anti-elitair ingesteld. Volgens hem was het klassieke modernisme, in de dertiger jaren vanuit Europa naar de Verenigde Staten overgewaaid, helemaal niet typerend voor de Amerikaanse samenleving: "Onze architectuur is niet bijvoorbeeld Mies van der Rohe, het is in werkelijkheid McDonald's of de eenheidsstijl van rijtjeshuizen."

Vanaf de eeuwwisseling ontstonden in alle geïndustrialiseerde landen, of in landen die het wilden worden, 'moderne' stromingen en de meeste van deze stromingen waren zo dogmatisch dat ze tegenwoordig als mislukt of zelfs als komisch over komen. (Een van de kunstenaars die Lichtenstein de moeite waard vond om te citeren, namelijk Mondriaan, werkte alleen met horizontale en verticale lijnen, omdat hij meende dat deze vorm van abstractie de ware schoonheid en universele harmonie uitdrukte. Toen zijn collega Van

Art deco-ornamenten
Panhellenic Tower, New York

Doesburg in 1925 diagonalen begon toe te passen, verklaarde
Mondriaan deze composities subjectief en persoonlijk en stapte uit de
Stijl-groep.) Veel van deze moderne kunststromingen in de twintiger
en dertiger jaren identificeerden zich –en dat verklaart ook hun
technische briljantheid– in grote mate met het technologische
tijdperk en de toen wijdverbreide gedachte dat machines de mensheid
vrijheid en rijkdom zouden verschaffen. De jonge industrieën waren
nog door een bijna spiritueel idealisme omgeven. Men zag bijvoorbeeld het logische, economische functioneren van de machine als een
metafoor van zoiets als rechtvaardigheid, helderheid en collectivisme.
Deze poëtische, irrationele ondertoon begeleidde het modernisme
vanaf het begin, maar kwam het meest tot volle wasdom in de
periode van de Art Deco, een stijlrichting waardoor Lichtenstein zich
vooral in de jaren 1966 tot 1970 liet inspireren.

    Art Deco was een decoratieve stijl die echter niet inging tegen
de massaproduktie van voorwerpen en beelden. Ook de vertegenwoordigers van deze stroming wisten dat het tijdperk van het
ambachtelijke voorwerp voorgoed voorbij was. Art Deco wilde zich
echter ook niet verbinden met de theorie van het pure functionalisme.
Integendeel, de volstrekt wereldvreemde versiering van een gebruiksvoorwerp gold niet als een zonde, maar juist als een genot. Wat

Atelier, Kijk, Mickey, 1973
Artist's Studio, Look Mickey
Olieverf en magna op linnen,
243,8 x 325,1 cm
Minneapolis (Minn.), Walker Art Center

Atelier – met model, 1974
Artist's Studio – with Model
Olieverf en magna op linnen,
243,8 x 325,1 cm
Privécollectie

Lichtenstein zo fascineerde in Art Deco, was zijn irrationele voorliefde
voor heroïsche, industriële vormen die met een kubistische esthetiek
werden verrijkt. Voor Lichtenstein was Art Deco zoiets als het toetje
na het copieuze hoofdgerecht van de modernistische theorie: "Het
banale voorwerp, de eenvoud, de geometrie enzovoort, die immers
waren beïnvloed door de uitspraken van Cézanne over de kubus, de
cilinder en de kegel, dat alles werd tot kunstvoorwerp verwerkt – en
tot onzin. Soms leverde het mooie onzin op." Art Deco-architectuur,
vooral portieken, raamgevels en balustrades, maar ook meubels en
sieraden inspireerden Lichtenstein zowel tot schilderijen als tot
objecten. Intussen liep hij zelfs door de stad om gebouwen en hun
versieringen te bekijken, want juist in New York zijn vele voorbeelden van architectuur uit deze periode te zien (afb. blz. 62). Vaak
zocht hij ook in oude tijdschriften of boeken naar ideeën. Hij vond
vooral de Franse Art Deco elegant. Al eerder was Lichtenstein in
eenzelfde soort thema geïnteresseerd geweest. De dertiger jaren
waren tenslotte zijn eigen jeugdjaren en wanneer hij in de stijl van
deze tijd werkte, was daaraan een zekere nostalgie niet vreemd. Met
het vliegtuig uit een vroege tekening (1961) lijkt hij een oud stuk
speelgoed in volle vlucht uit te beelden. Maar de centrale plek die het
inneemt, voor een wolk, komt zo versteend over, dat noch de draaiende

Atelier, voetbehandeling, 1974
Artist's Studio, Foot Medication
Olieverf magna op linnen,
243,8 x 325,1 cm
Londen, collectie
James en Gilda Gourlay

propeller noch de stroomlijnen op de romp of op de wolk enige
beweging suggereren. Vermoedelijk gebruikte Lichtenstein als
voorbeeld een tekening uit de dertiger jaren, waarbij de stroomlijnen
eerder een decoratieve dan een expressieve bedoeling hadden. Het
uitgangspunt voor *Modern schilderij met bloemen*, eveneens uit 1961, is
Fernand Légers *Marguerite* uit de veertiger jaren. Wellicht gaat het
hier om het eerste 'moderne' werk van Lichtenstein; hij kwam echter
pas na 1966 uitvoeriger op dit thema terug. De organische kwaliteit
van Légers vormen is vertaald in een schilderij, dat heel goed als een
Art Deco-bouwreliëf had kunnen dienen. Terwijl bij Léger nog
enkele natuurlijke vormen zijn te vinden, heeft Lichtenstein ze hun
hele vanzelfsprekendheid en uitdrukking ontnomen.

Lichtensteins moderne, door Art Deco geïnspireerde objecten
zien er uit alsof hun architectonische en ambachtelijke voorbeelden
'afgekort' zijn en daardoor aan functionaliteit hebben ingeboet. Met
zijn materiaalkeuze —voornamelijk glas en metaal— lijkt Lichtenstein
bovendien op ironische wijze te verwijzen naar een kunststroming,
namelijk de Minimal Art, waarin, net als in de uit dezelfde tijd
stammende Pop Art, subjectiviteit en emotionaliteit werden afgewezen. Vaak had deze kunstrichting het karakter van industriële
afwerking en haar gereduceerde vormen ontleende ze aan de traditie

Expressionistisch hoofd, 1980
Expressionist Head
Beschilderd brons,
139,7 x 45,7 x 113,7 cm
Oplage: zes exemplaren

Zelfportret II, 1976
Self-Portrait II
Olieverf en magna op linnen,
177,8 x 137,2 cm
New York, collectie
Paul en Diane Waldman

van geometrische abstractie. In formeel opzicht lijken Lichtensteins plastieken nogal wat verwantschap te vertonen met de kale, gladde oppervlakken in het werk van de beeldhouwer Donald Judd, wiens doosachtige voorwerpen een subtiel gevoel voor volume en balans verraden. Lichtenstein erkende dat de minimale esthetiek elementen van het moderne ontwerp in zich opnam. Terwijl hij de elementen uit Art Deco gebruikte, was hij bezig een soort speelse Minimal Art te creëren.

De 'moderne' schilderijen zijn veel verder verwijderd van hun originele versies dan de objecten. Hier experimenteert Lichtenstein met de decoratie van oppervlakken. Terwijl de rasterpunten vroeger slechts een bijkomende, decoratieve functie bezaten, lijken ze zich in de moderne schilderijen bijna thuis te voelen. In *Paris Review Poster* (afb. blz. 40) heeft Lichtenstein verschillende Art Deco-motieven met elkaar gecombineerd en ze zo in het beeldvlak gerangschikt dat een gebroken, dynamische kruisvorm de compositie bepaalt. Een toespeling op de menselijke gestalte is terug te vinden in het ronde, gele element met afhangende 'armen'. De golfachtige lijnen hebben betrekking op de snelheid suggererende stroomlijnen die willekeurig in tekeningen uit de dertiger jaren werden gebruikt. De titel 'Paris Review' moet de toeschouwer er wellicht aan herinneren dat de grote populariteit van de Art Deco als 'les arts décoratifs' begon met de tentoonstelling in Parijs van 1925. Door zijn formaat en belettering doet het schilderij denken aan een tijdschriftomslag of een tentoon-stellingsaffiche, maar het is een helderdere en fellere versie van de warmere stijl van het voorbeeld. Natuurlijk heeft Lichtenstein aan zijn primaire kleuren en contourlijnen vastgehouden. Het merkwaar-dige aan deze elkaar overlappende en industrieel uitziende vormen is hun vlakheid. Met andere woorden: er wordt nergens geprobeerd een indruk van diepte of ruimtelijkheid op te roepen, hoewel ze in verschillende beeldniveaus zijn vastgelegd. Art Deco wordt hier niet zozeer nieuw leven ingeblazen, maar in feite als een historische stijlfase behandeld, die door Lichtenstein doortastend belicht aan ons getoond wordt.

Bedenkt men dat Lichtenstein comics maakte, dan lijken zijn Art Deco-schilderijen wellicht wat ver gezocht, omdat ze immers die banale, populaire thematiek missen. Om de bedoelde ironie te begrijpen, moet duidelijk zijn waarom Lichtenstein dit thema überhaupt gekozen heeft. Art Deco was namelijk voor hem —en daarop berust de overeenkomst met de strips— een decoratieve vervorming van moderne principes, omdat deze kunststijl preten-deerde een belangrijk thema (het modernisme) te behandelen, maar zelf niet serieus kon worden genomen. Lichtenstein identificeerde zich net zoveel met de Art Deco als met de strips. Wanneer de Art Deco overdreven en bombastische vormen aannam, maakte deze zichzelf ongewild belachelijk. En daar genoot Lichtenstein van.

Tot de reeks 'moderne' schilderijen behoren ook vele met een 'modulair' karakter. *Modulair schilderij met vier panelen* (afb. blz. 43) is een groot vierkant dat is samengesteld uit vier kleinere vierkante schilderijen — een blokkendoostechniek die doet denken aan de geometrische eenheden van de Minimal-kunstenaar Carl André. Op alle vier modulen is hetzelfde motief te zien. Het ontwerp is zo slim gemaakt, dat de concentrische vormen en de centrale diagonalen het

Rode ruiter, 1974
Red Horseman
Olieverf en magna op linnen,
213,4 x 284,5 cm
Wenen, Museum Moderner Kunst
Aken, collectie Ludwig

gehele schilderij tot een eenheid maken. De formele overeenkomst tussen een dergelijk schilderij en de 'hard-edge'-schilderkunst van bijvoorbeeld Frank Stella is duidelijk. In beide schilderijen wordt gespeeld met de vervlechting van geometrische vormen en kleurvlakken, in beide wordt de nadruk gelegd op vlakheid en uitdrukkingsloosheid. Stella's beroemde uitspraak 'Je ziet wat je ziet', waarmee hij wilde zeggen dat zijn werken autonome, op zichzelf staande dingen zijn, is ook van toepassing op Lichtensteins vormenwereld, waarin naast de eigenlijke aanwezigheid vaak geen enkele andere betekenis wordt toegelaten. Beide schilders hebben dezelfde instelling, beiden zijn in zoverre 'realisten' dat ze een soort kunst maken die de toeschouwer met de neus op haar visuele uitstraling drukt. Lichtenstein heeft aldus zijn eigen werk als volgt gekarakteriseerd: "Het ziet er niet uit als een schilderij vàn iets, het ziet er uit als het ding zelf."

In een documentaire van Emile de Antonio vertelde Stella eens hoe hij op het idee voor zijn 'Shaped Canvases' was gekomen, namelijk door het bedrog van Jackson Pollock. Pollock, die immers altijd beweerde dat hij volledig spontaan werkte zonder daarbij aan de ondergrond van het schilderij te denken, oriënteerde zich volgens Stella in werkelijkheid zeer precies op het formaat van het doek. Toen

hij de randen van een Pollock eens nader bestudeerde, viel hem op dat de druipsporen vaak van richting veranderden en zich weer naar de tegenoverliggende rand bewogen. Stella had het gevoel Pollock op een zonneklare leugen betrapt te hebben, en dat bracht hem op het idee om zijn doeken aan het schilderij 'aan te passen'. Heeft dit aspect van Stella's kunst misschien ook niet een ironische kant? De kleurbanen, waaruit Stella zijn schilderijen componeert en die uiteindelijk de omvang ervan bepalen, zijn zo consequent en perfect mogelijk uitgewerkt.

Het is heel goed mogelijk dat Lichtenstein met zijn serie 'perfecte' en 'imperfecte' schilderijen op Stella's perfectionisme wilde reageren. De terughoudende humor die hij in deze serie ontwikkelt, doelt in ieder geval op de absurditeit om een abstracte compositie op een rechthoekig doek uit te werken. Vierkante en rechthoekige formaten waren in de schilderkunst altijd bepalend geweest, sinds ze de wandschilderingen waren opgevolgd; en wanneer kunstenaars zonderling gevormde doeken gebruikten, wilden ze daarmee een bewust effect uitlokken. Lichtensteins 'imperfecte' schilderijen hebben meer hoeken dan een normaal paneelschilderij. De lijnen tussen de kleurvlakken moeten gezien worden als lijnen die een voortdurende beweging uitdrukken. Ze beginnen ergens op het doek

Bosgezicht, 1980
Forest Scene
Olieverf en magna op linnen,
243,8 x 325,1 cm
Privécollectie

en lopen verder totdat ze aan de rand van het schilderij van richting
veranderen, te vergelijken met een biljartbal die van de band van een
biljarttafel afstuit. Het zal duidelijk zijn dat ze in zijn 'imperfecte'
schilderijen hun doel voorbij schieten, terwijl ze in de 'perfecte'
werken aan de traditionele, rechthoekige grenzen van het formaat
gehoorzamen.

Enigszins vereenvoudigd gezegd, bestaat de moderne kunst uit
een lange reeks 'ismen' die vaak door critici als zodanig werden
bestempeld met de bedoeling de betreffende kunststroming belachelijk te maken. Hun onwelkome, avantgardistische posities werden
stuk voor stuk afgezwakt; vandaag de dag zijn hun namen –impressionisme, kubisme, fauvisme, futurisme, expressionisme– tot waarde-
vrije historische begrippen geworden. In de loop der jaren heeft
Lichtenstein van bijna alle moderne stromingen gebruik gemaakt,
alsof hij zich in een supermarkt van stijlen bevond. Daarbij werkte
hij niet chronologisch, want de achtereenvolgende stromingen in de
kunstgeschiedenis waren in wezen niets anders dan afgebakende
formele eenheden, waaruit hij kon kiezen en waarmee hij kon spelen.

Van alle 'ismen' mag het impressionisme zich in onze eeuw op
de grootste populariteit verheugen: ze biedt voor elk wat wils. Ze
komt ook lang niet meer zo avantgardistisch of ongehoord over,
hoewel dat oorspronkelijk eens exact het geval was. Haar onderwerpen, die aan het einde van de vorige eeuw nog als vulgair werden
beschouwd, lijken ons tegenwoordig volstrekt respectabel, zelfs
mooi. Haar vervliedende vormen en het spel met het licht –voor de
mensen van toen niets anders dan talentloze schilderkunst– maken
haar nu zo rustgevend en harmonisch als een namiddag in augustus.
Juist vanwege deze populariteit is het impressionisme bij uitstek
geschikt als thema voor Lichtenstein. De serie 'gewone' landschappen
die hij rond het midden van de zestiger jaren maakte, zouden door de
talloze landschappen van de impressionistische openlucht-schilders
beïnvloed kunnen zijn, maar later zou Lichtenstein zich nadrukkelijk
op bepaalde werken van het impressionisme concentreren. Op
aansporing van de kunsthistoricus en criticus John Coplans, die
toentertijd een expositie over seriële schilderijen organiseerde, koos
Lichtenstein kunstwerken die tot een serie behoorden: Claude
Monets *Hooiberg* en *Kathedraal van Rouen*. Coplans moet gezien
hebben dat de industriële implicaties van het serie-concept zeer goed
pasten bij Lichtensteins esthetische opvattingen.

De *Kathedraal van Rouen (Gezien op drie verschillende tijdstippen
van de dag)* (afb. blz. 71) uit 1969 laat de façade van de kathedraal
vanuit verschillende standpunten zien, waarbij onduidelijk blijft of
de lichtval ook telkens verschillend is of niet. Hoewel Lichtenstein
Monets bedoeling in de titel handhaafde, probeerde hij nauwelijks
deze ook werkelijk om te zetten: "In mijn serie gaat het zo te zien om
tijdstippen van de dag, maar dan alleen omdat het bij hem (Monet)
zo was en omdat het eigenlijk zot en toevallig is en overduidelijk
niets met daglicht te maken heeft." Lichtenstein heeft er hier van
afgezien om de vormen met zwart te omlijnen; waarschijnlijk vond
hij het van belang om de schilderijen van Monet niet te veel te laten
afwijken van hun oorspronkelijke stijl. Alleen de bruikbare kenmerken van Monets werk werden overgenomen, en er werden geen
nieuwe aan toegevoegd. Uit de pure, elkaar overlappende lagen

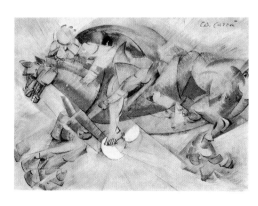

Carlo Carrà
De rode ruiter, 1913
Il cavaliere rosso
Tempera en inkt op papier, 26 x 36 cm
Milaan, Pinacoteca di Brera,
collectie Jucker

rasterpunten ontstaat die schemerige sfeer die de impressionisten met hun penseelvoering bereikten.

Lichtenstein moet plezier hebben gehad in het Op Art-effect, dat optreedt zodra de toeschouwer probeert de verschillende rasters van elkaar te scheiden, want daardoor kreeg het werk nog een extra –eigentijdse– betekenis.

In 1974 maakte Lichtenstein zijn *Rode ruiter* (afb. blz. 68) naar het gelijknamige schilderij van Carlo Carrà (afb. blz. 70). De futuristische schilder probeerde daarin pathos, snelheid en dramatiek over te brengen. Men moest het zweet van mens en dier kunnen ruiken, het geroffel van galopperende hoeven kunnen horen. Bij Carrà is zowel de figuur van het paard als die van de ruiter in structurele eenheden opgedeeld, maar omdat hij deze eenheden van schaduw voorziet, wil hij zoiets als diepte en volume aangeven. Het hoofd van het paard lijkt mechanisch; de blote voet van de ruiter beschrijft een cirkelvorm die doet denken aan de beweging van een fietspedaal – rond 1913, toen de *Rode ruiter* ontstond, was de fiets nog een relatief ingewikkeld mechanisme. Met de vibrerende contouren van zijn vormen suggereert Carrà een chronologische beweging. Zijn kleurgebruik –variaties van rood, geel en blauw– werden door Lichtenstein overgenomen, maar dan als onvermengde, pure primaire kleuren die hij van een raster voorziet om halftonen te krijgen. Van de oorspronkelijke kenmerken van het origineel is niets meer te bespeuren. Bijna speels geeft Lichtenstein volumes aan door de grootte van de rasterpunten te variëren, maar toch blijft er een idee van vlakheid bestaan. De afzonderlijke delen van de compositie hebben hun eigen betekenis verloren en daarin ligt misschien de grootste verandering ten opzichte van het origineel. Terwijl Carrà de figuur van de ruiter, maar ook flanken, voeten en schouders van het paard benadrukt, integreert Lichtenstein de gehele vorm evenwichtig in de achtergrond. Van de woeste actie bij Carrà blijft niets meer over. Wat blijft, is het omhulsel van het beeld, waaruit de zielen van paard en ruiter zijn gevlucht.

Kathedraal van Rouen (Gezien op drie verschillende tijdstippen van de dag) Serie Nr. 2, 1969
Rouen Cathedral (Seen at Three Different Times of Day) Set No. 2
Magna op linnen, 160 x 106,8 cm
Keulen, Museum Ludwig

71

In 1963 uitte Lichtenstein in een interview met Gene Swenson kritiek op de verhouding van de kunst tot zichzelf: "Ik vind dat de kunst sinds Cézanne buitengewoon romantisch en onrealistisch is geworden, ze heeft alleen betrekking op zichzelf, is utopisch. Ze heeft steeds minder met de wereld te maken en doet aan navelstaren, neo-Zen en zo. Dat is geen kritiek, eerder een nuchtere constatering. Buiten is de wereld, ze bestaat. De Pop Art kijkt uit op de wereld; op een of andere manier accepteert deze zijn omgeving die goed noch slecht is, alleen anders – een andere geesteshouding."

Wanneer Lichtenstein de Pop Art betitelt als iets dat uitkijkt op de wereld, klinkt dat tegenstrijdig – tenslotte is hij iemand die met tweedimensionale onderwerpen werkt. Op dit punt verraad Lichtenstein hoe traditioneel hij in feite is gebleven. Als kunstenaar schijnt het zijn lot te zijn binnen de kaders van de kunst te werken, want dat is zijn wereld. Soms speurt hij naar de achilleshiel of het eksteroog van de kunst. Soms lijkt hij zich meer te interesseren voor vormkwesties. Steeds lukt het hem echter het aanzien van de hoge kunsten aan het wankelen te brengen door ze op een lager kunstniveau te plaatsen. Lichtensteins visie komt duidelijk tot uiting in zijn schilderijen van schilderijen. Zijn eigenlijke werk was dat van een saboteur, die het esoterische waartoe de kunst was verworden, vernietigde. In een radio-interview uit 1964 met Claes Oldenburg, Lichtenstein en

Landschap met figuren en regenboog, 1980
Landscape with Figures and Rainbow
Olieverf en magna op linnen,
213 x 305 cm
Keulen, Museum Ludwig

Andy Warhol stelde de laatste laconiek vast dat de 'verkeerde mensen' zich voor kunst interesseerden: "Maar de mensen die niets van kunst begrijpen, zouden hier (de Pop Art) meer van houden, want dat is wat ze kennen." Lichtenstein heeft eenzelfde anti-elitaire houding, ook al werkt hij met de kennis die alleen een in de kunst geïnteresseerd iemand heeft.

De Pop-kunstenaars hoopten door de verwerking van alledaagse voorwerpen en onderwerpen de echtheid ervan in hun werk te kunnen overbrengen. Maar het bleek voor hen allen zeer moeilijk om werkelijk de grenzen van de kunstwereld te overschrijden. In het-zelfde radio-interview zei Oldenburg over de door hem georgani-seerde happenings en Pop-manifestaties: "Wanneer je in een stad komt, denken de mensen dat ze een of ander circusnummer te zien krijgen..., en dan zie je dat de mensen teleurgesteld zijn, omdat het steeds maar weer hetzelfde is, namelijk kunst."

Misschien was Lichtenstein de slimste van deze drie, want hij probeerde niet eens deze vicieuze cirkel te doorbreken. In plaats daarvan maakte hij het thema 'kunst' tot instrument voor zijn doeleinden.

Pow Wow, 1979
Olieverf en magna op linnen,
247 x 305 cm
Aken, Neue Galerie – collectie Ludwig

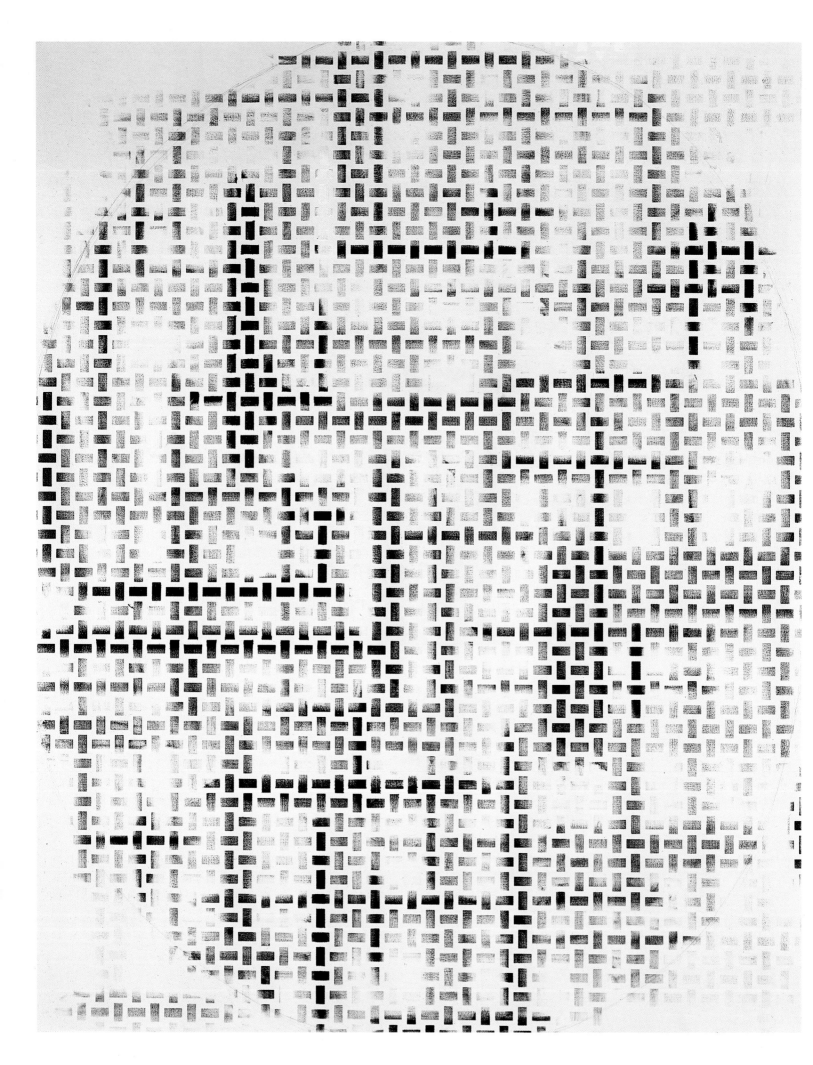

Hoe je de abstractie te slim af bent

Lichtenstein heeft de neiging om met verschillende thema's te werken en de critici delen zijn kunst vaak in naar bepaalde onderwerpen. Maar het is enigszins verwarrend Lichtensteins werk op deze manier te catalogiseren, omdat, ongeacht waaraan de kunstenaar op een bepaald moment werkt, altijd weer dezelfde interesses en vraagstellingen opduiken. Tijdens de zeventiger jaren hield hij zich met verschillende nieuwe onderwerpen in serievorm bezig, maar daarnaast thematiseerde hij ook nog steeds werken uit de kunstgeschiedenis. Als men eenmaal begrijpt vanuit welke mentaliteit Lichtenstein zijn schilderijen maakt, kan men ingaan op de humor en de ironie van de kunstenaar en bovendien onderzoeken hoe flexibel men zelf is als het gaat om kunst en kunsthistorische vraagstukken.

Er zijn echter twee series schilderijen en tekeningen uit de zeventiger jaren die wat betreft hun thema en uitvoering serieuzer zijn en minder ironisch dan andere werken van Lichtenstein. De *Spiegels* en *Architectuurfriezen* zijn rauwer en koeler en lijken, nog meer dan het eerdere op Art Deco geïnspireerde werk, in te gaan op de kwestie van de beeldvlakverdeling. Begon Lichtenstein zich nu meer voor Minimal Art of abstracte kunst te interesseren? De *Spiegels* en *Architectuurfriezen* (waarvan de titels telkens genummerd zijn) bieden hem de mogelijkheid zijn schilderkunst in deze richting te sturen zonder daarbij het figuratieve onderwerp volledig te laten vallen.

In de *Spiegel*-serie bereikt de abstractie een zeer extreem niveau – als het schilderij geen titel zou hebben, zou de toeschouwer waarschijnlijk niet zien dat hier überhaupt een bepaald voorwerp wordt weergegeven. Net als bij eerdere voorbeelden uit Lichtensteins werk, het *Tien-dollarbiljet* (afb. blz. 9) of *Composities I* (afb. blz. 62), dekken doek en voorstelling elkaar zodanig, dat het schilderij het voorwerp zelf lijkt. Zoals vele echte spiegels kunnen deze werken qua vorm rond, ovaal of rechthoekig zijn; de rechthoekige *Spiegels* zijn samengesteld uit verticale panelen. In tegenstelling tot de 'moderne' schilderijen is hier geen aflopend, zich herhalend patroon te zien dat de over meerdere doeken verdeelde composities onderling verbindt. In totaal worden slechts enkele kleuren gebruikt, hoewel ze zeer dominant kunnen zijn en grote vlakken op het doek vullen. Reflecties en schaduwen worden aangegeven door gerasterde onderdelen die in richting, verloop en dichtheid variëren.

In *Spiegel Nr. 1* uit 1971 is de heldere achtergond nog niet voor de helft met rasterpunten bedekt en een krachtige, gele strook

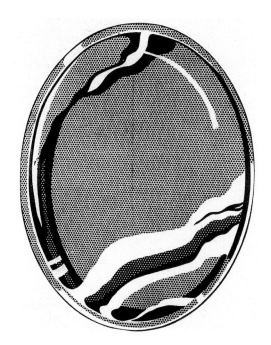

Spiegel Nr. 1, 1969
Mirror No. 1
Olieverf en magna op linnen,
152,4 x 121,9 cm
Privécollectie

Plus en min (geel), 1988
Plus and Minus (Yellow)
Olieverf en magna op linnen,
101,6 x 81,3 cm
Privécollectie

75

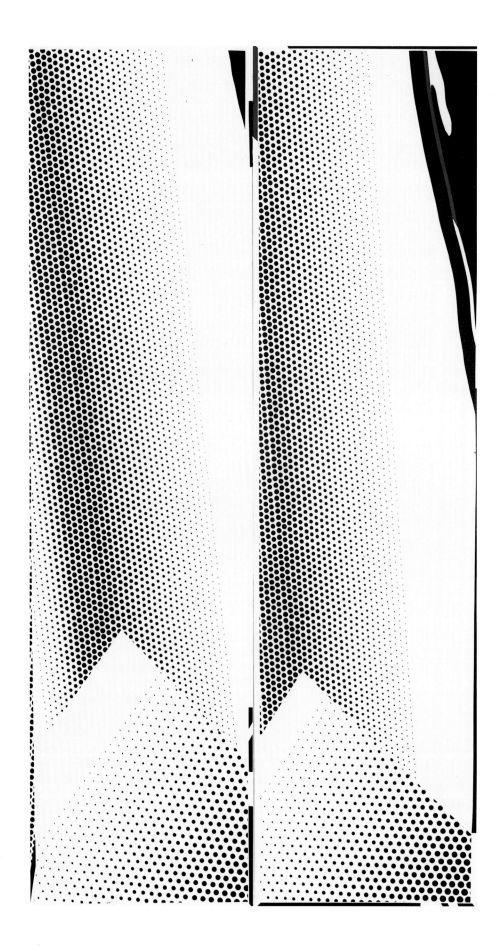

Dubbele spiegel, 1970
Double Mirror
Olieverf en magna op linnen,
167,6 x 91,4 cm
Collectie Werner-Erhard
Charitable Settlement

Spiegel in zes panelen Nr. 1, 1970
Mirror in six Panels No. 1
Olieverf en magna op linnen,
243,8 x 274,3 cm
Wenen, Museum Moderner Kunst
Aken, collectie Ludwig

**Ik kan de hele kamer zien
en er is niemand aanwezig, 1961**
I can see the Whole Room and
There's Nobody in It
Olieverf op linnen, 122 x 122 cm
Meriden, collectie
Mr. en Mrs. Burton Tremaine

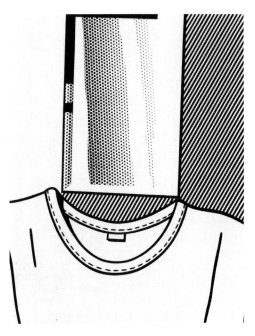

Zelfportret, 1978
Self-Portrait
Olieverf en magna op linnen,
177,8 x 137,2 cm
Privécollectie

markeert een reflectie aan de onderste, verlopende rand van de spiegel.

In *Spiegel Nr. 2* wordt de gerasterde helft van het schilderij door diagonalen onderbroken, terwijl de rechterhelft van het schilderij volledig zwart is. Moet de toeschouwer het zwarte vlak als een verwijzing naar gereflecteerde diepte opvatten, naar een deur die toegang geeft tot een andere ruimte misschien? Dit zou voor Lichtenstein een acceptabele manier zijn om diepte in de vorm van vlakheid weer te geven. Een weerspiegeld en een gedrukt beeld —van een foto of van een tekening— hebben immers een overeenkomstige vlakheid, en waarschijnlijk ligt juist daarin Lichtensteins fascinatie voor dit onderwerp. De spiegelbeeldige omkering en ook het koude, zilverachtige effect van spiegelglas veroorzaken een vervreemding van het reële object of gezicht van zichzelf. Ook hierin ligt een parallel met de stijl van Lichtenstein, die zo emotieloos en machine-achtig als maar mogelijk was, moest overkomen en zich behoedzaam distantieerde van welke directe ervaring dan ook. Zelfs het spiegelende materiaal staat in verband met Lichtensteins kunst, namelijk met zijn glas-metaalplastieken uit de Art Deco-periode. Op het eerste gezicht lijkt hier weliswaar niet die logica werkzaam te zijn, waardoor ook zijn gerichtheid op Picasso, Mondriaan of Monet wordt bepaald, toch kiest Lichtenstein bij de *Spiegels* weer eens overduidelijk voor een motief dat formeel gezien precies bij zijn eigen stijl past.

Spiegel Nr. 6 (afb. blz. 79) is een rond, volledig blauw doek; alleen de schuin aflopende spiegelrand wordt aangegeven door rasterpunten en een lijn die dun begint, dan dikker wordt en vervolgens weer in een dunnere lijn overgaat. Aan de hand van dit voorbeeld wordt duidelijk dat de *Spiegels* eigenlijk niets anders zijn dan een manier voor Lichtenstein om een uitstapje te maken naar het gebied van de monochrome abstractie. Het blauw van het schilderij irriteert de toeschouwer, omdat hij absoluut niets kan zien; de ruimte waarin hij zich bevindt, moet donker en leeg zijn. Uiteraard gaat dat niet op, want dan zou immers ook het schilderij zelf in het geheel niet te zien zijn. In 1961 had Lichtenstein uit een stripboek een plaatje overgenomen, waarin de lezer niets anders ziet dan een deel van een mannengezicht dat achter een donkere wand (het beeldvlak) opduikt. De man gluurt door een kijkgaatje, waarvan hij het luikje met een vinger opzij duwt. De toeschouwer begrijpt dat hij zich aan de andere kant van de wand in een donkere ruimte bevindt, vergelijkbaar met degene die in de blauwe spiegel wordt gereflecteerd, maar zijn aanwezigheid wordt door de man in het stripschilderij in het geheel niet opgemerkt: *Ik kan de hele kamer zien en er is niemand aanwezig* (afb. boven).

De overeenkomst tussen de blauwe *Spiegel Nr. 6* en het eerdere stripschilderij is geenszins toevallig. Door een lege spiegel en een lege ruimte te laten zien, bant Lichtenstein de subjectieve waarneming van de toeschouwer uit zijn kunst. In geen van zijn ongeveer vijftig 'Spiegelbeelden' wordt een menselijke figuur gereflecteerd; ze suggereren veeleer, door middel van gerasterde licht- en schaduweffecten, dat de spiegels in een weloverwogen stand zijn geplaatst. Het is verbazingwekkend dat Lichtenstein in zijn *Zelfportret* (afb. links) uit 1978 zijn gezicht door een lege spiegel vervangt, terwijl zijn bovenlichaam en de schouders door een wit T-shirt worden

Spiegel Nr. 6, 1971
Mirror No. 6
Olieverf en magna op linnen,
doorsnee 91,4 cm
Privécollectie

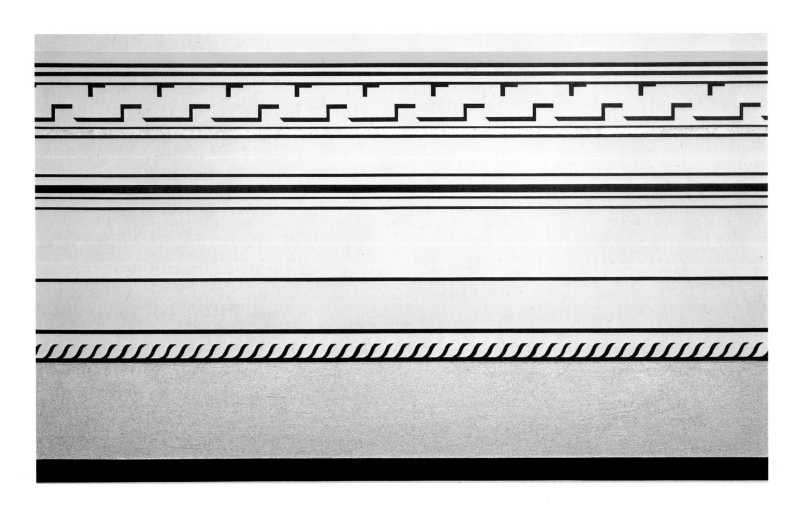

Architectuurfries, 1974
Entablature
Olieverf en magna op linnen,
152,4 x 254 cm
Privécollectie

aangeduid. Is het een 'do-it-yourself'-portret zoals op het 'Man van het Jaar'-omslag van het tijdschrift 'Time', waarin elk gewenst gezicht kan worden ingevuld? In *Portret* uit 1977 is op de manier van een oud vanitas-voorwerp een blonde pruik over een lege spiegel gedrapeerd, terwijl andere beeldelementen uit Lichtensteins werk zich tot een compositie verbinden. (Het is interessant een vergelijking te trekken met Andy Warhols portretten uit de zeventiger jaren, aangezien daarin ook sprake is van 'lege' gezichten, gemaakt naar polaroïd-opnamen van zijn modellen.)

De blauwe spiegel heeft echter nog een andere betekenis: hij toont namelijk hoe een serieus kunstthema —het monochrome doek als abstracte vorm— onderuit wordt gehaald en daardoor ter discussie wordt gesteld. Toen de Russische suprematist Kasimir Malewich in 1913 zijn *Zwart vierkant op witte ondergrond* schilderde, wilde hij daarmee een pure, van elk herkenbaar voorwerp bevrijde schilderkunst scheppen. In zekere zin doet Lichtenstein precies hetzelfde, maar juist door hun afwezigheid worden de ontbrekende voorwerpen en figuren des te opvallender.

De *Spiegels* bieden Lichtenstein de mogelijkheid iets volledig immaterieels —namelijk licht— vorm te geven, net zoals hij dat had gedaan met het licht en de vlammen van de *Explosies*. Het gereflecteerde licht doet ook denken aan de verstarde beweging van zijn *Penseelstreken*. Jack Cowart van het St. Louis Art Museum merkte in zijn catalogus over Lichtensteins werk uit de jaren zeventig treffend op dat de *Architectuurfriezen* en de *Spiegels* dit spel met het licht gemeen hebben. In de *Architectuurfriezen* worden de vormen vaak bepaald door hun schaduwen.

Er zijn twee soorten *Architectuurfriezen* (vgl. afb. blz. 80): zwart-witte en gekleurde versies, deels uitgevoerd in metaalverf en pleisterkalk. De schilderijen hebben een liggend formaat, dat wil zeggen dat ook hier het doek het werkelijke voorwerp van de afbeelding dekt. Waar kwam het idee van de klassieke *Architectuurfriezen* vandaan? Lichtenstein had immers meerdere malen vrijstaande bouwwerken weergegeven, zoals een eenvoudige schuur of de grote piramide. Tot deze werken behoort ook de vroege *Apollo-tempel* (afb. onder) uit 1964. De fries van de Apollo-tempel staat echter –als het er al iets mee te maken zou hebben– niet in direct verband met de bouwtechnische details van de *Architectuurfriezen*. In het tempelschilderij gaat het erom het zinnebeeld van het oude Griekenland als symbool voor een clichématige toeristische attractie uit te beelden, een betekenis die bij de *Architectuurfriezen* ontbreekt. Natuurlijk zijn ze onmiddellijk als klassieke elementen te onderscheiden, maar ze stijgen niet boven hun eigen betekenis uit; ze zijn volstrekt anoniem en concentreren zich in formeel opzicht eerder op het aspect van de tweedimensionale vormgeving. Net als in de *Spiegel*-schilderijen wordt de kwestie van de ruimtelijkheid ook in deze werken op een puur conceptueel niveau behandeld.

Vele patronen voor zijn *Architectuurfriezen* vond Lichtenstein in bestaande gebouwen in de Newyorkse Wall Street-wijk en in de

Apollo Tempel IV, 1964
Olieverf en magna op linnen,
238,8 x 325,1 cm
St. Louis, collectie
Mr. en Mrs. Joseph Pulitzer Jr.

omgeving van de 28th Street. Daarnaast bestaat er echter een zeer specifieke kunsthistorische traditie die Lichtenstein wellicht tot deze werken heeft aangespoord. In de negentiende eeuw behoorde het maken van tekeningen van bouwkundige details namelijk tot de academische vorming van architectuurstudenten. Ze moesten niet alleen de klassieke fries kunnen tekenen, maar ook alle nagemaakte varianten. Door middel van een specifieke beeldtaal werd een abstract ontwerp geschapen, dat steeds dezelfde onderdelen van een gebouw 'articuleerde' (zoals architectuurhistorici meestal zeggen). Het opvallendste aspect van een friesornament is de mechanische herhaling van volstrekt emotieloze elementen, en juist dat moet Lichtenstein hebben aangetrokken. Daarom lijken zijn schilderijen onderdelen van een veel langer geheel, tegelijkertijd zowel ontwerpen als voorwerpen, waarin telkens dezelfde beeldtaal wordt gebruikt.

De *Architectuurfriezen* en de *Spiegels* behoren tot de grootste, niet gemoduleerde kleurvelden in Lichtensteins oeuvre. Hier toont zich zijn affiniteit met kunstenaars in de traditie van de geometrische abstractie, wat echter niet wil zeggen dat hij hun esthetische opvattingen volledig deelt. Lichtenstein blijft van nature verbonden met het figuratieve, ook al waagt hij zich zo dicht mogelijk aan de rand van de woestijn van minimalistische abstractie. In plaats van de *Architectuurfriezen* en de *Spiegels* als een ironisch commentaar te

Schilderijen: stilleven en spieraam, 1983
Paintings: Still-life and Stretcher Frame
Olieverf en magna op linnen,
162,6 x 228,6 cm
Privécollectie

gebruiken, legt hij er een meer voor ingewijden bestemde, zelfs verborgen minimalistische kwaliteit in. Het publiek reageerde dienovereenkomstig: beide series waren aanvankelijk moeilijk te verkopen. Had Lichtenstein wellicht een weerzin gekregen tegen de manier waarop de Pop Art door goedbetalende klanten was opgekocht en de kunstenaars tot de lievelingen van de jet set waren verworden? Betekenen de *Architectuurfriezen* en de *Spiegels* een zich terugtrekken uit een overenthousiaste markt die zich door een populaire beelden-wereld wilde laten onderhouden? Pop Art was oorspronkelijk bedoeld als een belediging, maar al in 1963 moest Lichtenstein in een interview vaststellen dat het moeilijk was een schilderij te maken dat de mensen niet aan de wand zouden willen hangen: álles werd aan de wand gehangen. Het zou zelfs mogelijk zijn een druipende verflap te presenteren, de mensen zouden eraan gewend raken. Zelfs tegen de alom afgewezen commerciële kunst was men niet haatdragend genoeg. Misschien gaven dergelijke rauwe, minder opwindende onderwerpen als de *Architectuurfriezen* en de *Spiegels* Lichtenstein de gelegenheid om met dat wat hem aan het hart ging, op een manier bezig te zijn, die niet zo gemakkelijk en oppervlakkig te consumeren was.

Schilderijen: Tomaten & Abstractie, 1982
Paintings: Tomatoes & Abstraction
Olieverf en magna op linnen,
101,6 x 152,4 cm
Privécollectie

Het vrije spel der beelden

Terwijl Lichtenstein aan zijn *Spiegels* en *Architectuurfriezen* werkte, maakte hij ook telkens weer schilderijen met een stripachtig karakter. Het was alsof hij in verschillende series rekening hield met de verschillende behoeften van zijn persoonlijkheid. *Koe-drieluik (Abstract wordende koe)* uit 1974 is geïnspireerd op twee voorbeelden: een schilderij van Theo van Doesburg en een litho-serie van Picasso. Hier schepte Lichtenstein er genoegen in om een duidelijk herkenbare koe in een abstractie te veranderen. Het is de slimme omkering van de uit autodidactische leerboekjes bekende werkwijze, waarbij de leek met basispatronen begint om deze dan stap voor stap om te zetten in elementen van een realistische voorstelling. Het drieluik bevat een 'plot', op grond waarvan de toeschouwer kan bekijken welke relatieve voordelen het realisme ten opzichte van de abstractie heeft. Uiteindelijk moet men toegeven dat beide manieren van schilderen even banaal kunnen zijn, zelfs wanneer in de abstracte weergave het herkauwende uitgangspunt niet meer is terug te vinden. In *Koe-drieluik* wordt de beeldvorm op een speelse manier opgelost. Zoals zou blijken, stond Lichtenstein daarmee aan het begin van een nieuwe fase in zijn werk: de ongedwongen en humoristische herschikking van beeldvormen vormde voortaan zijn schilderplezier.

In de zeventiger en tachtiger jaren begon Lichtenstein zijn tot dan toe ontwikkelde vormentaal losser te maken, te reorganiseren en uit te breiden. In zijn kunstaanhalingen combineerde hij intussen uitsluitend nog elementen uit zijn eigen werken, in andere schilderijen begon hij daarentegen onderwerpen en stijlen van verschillende kunstenaars met elkaar te vermengen, waarbij hij ze naar eigen fantasie veranderde. In zijn vroegere, 'kunstzinnige' werken had hij zich meestal geconcentreerd op het opnieuw vorm geven van een enkel voorwerp. Maar hoe langer Lichtenstein in deze richting werkte, des te minder werd hij gehinderd in het 'lenen' van verschillende kunsthistorische stijlen. Ook begon hij zich bezig te houden met het traditionele genre van het stilleven, dat wil zeggen dat hij het idee van zijn vroege afbeeldingen van afzonderlijke voorwerpen uitbreidde zonder ze feitelijk aan te halen.

In zijn *Atelier-serie* zijn zowel afzonderlijke werken alsook hele genre-groepen uit het eigen oeuvre sinds 1961 tot thema gemaakt. De aanduiding 'atelier' is enigzins verwarrend, omdat noch verfstreken noch schildersezels in de weergegeven ruimten opduiken. Lichtensteins *Ateliers* zijn eerder musea dan schilderwerkplaatsen. Ze

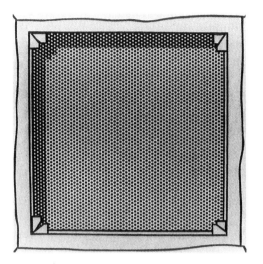

Spieraam, 1968
Stretcher Frame
Olieverf en magna op linnen,
91,4 x 91,4 cm
Privécollectie

Portret II, 1981
Portrait II
Magna op linnen, 101,6 x 152,4 cm
Privécollectie

gaven de kunstenaar de gelegenheid al zijn werk de revue te laten passeren en tegelijkertijd met de dubbelzinnige 'werkelijkheid' van zijn schilderijen te spelen. Lichtensteins schilderijen kenmerkten zich immers vanaf het begin door een buitengewoon sterke aanwezigheid, dat wil zeggen dat ze meer overkwamen als voorwerpen dan als afbeeldingen van voorwerpen. In de *Ateliers* werden deze objecten nu tot leven gewekt, werden in zekere zin meubelstukken in schematisch gestileerde woonkamers. In *Atelier, Kijk, Mickey* (afb. blz. 63) uit 1973 zijn het bijvoorbeeld de sofa, de deur, de wandfries, de telefoon en de vruchten op de vloer die zich uit verschillende vroege werken van Lichtenstein hebben bevrijd om vervolgens hier in de context van een woninginrichting samen te komen. Weer andere schilderijen worden inderdaad als zodanig getoond. *Kijk, Mickey* (afb. blz. 11), Lichtensteins eerste comic-schilderij, is het bekendste werk van de kunstenaar in dit *Atelier*. Zo ook zijn de spiegel en het trompe-l'oeil-spieraam als 'echte' Lichtensteins te herkennen. Twee andere schilderijen waren vormexperimenten: het *Landschap met*

Rode schuur door de bomen, 1984
Red Barn through the Trees
Olieverf en magna op linnen,
106,7 x 127 cm
Privécollectie

meeuwen en duinen boven de deur ontstond als schilderij pas een jaar later, terwijl het schilderij met het tekstballonnetje boven het 'kaalhoofdige type' in dit *Atelier* alleen hier voorkwam. Er zijn ook verwijzingen naar de schilderkunst van een Matisse of een Braque. Het telefoontafeltje, de kan met het deksel en de plant 'stammen' van Matisse. De balustrade aan de rechterzijde van het schilderij is een aan Braque ontleend fragment. In de *Atelier*-serie moeten dergelijke aanhalingen echter niet zozeer als verwijzingen naar andere kunstenaars worden opgevat, veeleer wil Lichtenstein daarmee zijn eigen stijl van aanhalen laten zien. Een echte Lichtenstein-kenner zou de *Ateliers* waarschijnlijk als een soort intellectuele variatie beschouwen. De gelukkige verzamelaar die in het bezit is van *Atelier, Kijk, Mickey* heeft voor hetzelfde geld ten minste tien Lichtensteins gekregen – mits hij ze kan herkennen.

Uit de *Ateliers* blijkt dat de beschildering van het hele doek voor de kunstenaar steeds belangrijker was geworden. Terwijl Lichtenstein in zijn vroegere composities nog dicht bij het origineel bleef, werd hij in de zeventiger en tachtiger jaren in formeel opzicht steeds onafhankelijker. Zijn composities waren nu geheel en al zijn eigen werk, ook al waren er nog 'geleende' componenten in terug te vinden. In de *Ateliers* blijft de ruimtelijke situatie overzichtelijk,

Zonsopgang, 1984
Sunrise
Olieverf en magna op linnen,
91,4 x 127 cm
Privécollectie

Twee appels, 1981
Two Apples
Magna op linnen, 61 x 61 cm
Privécollectie

Landschap met rood dak, 1985
Landscape with Red Roof
Olieverf en magna op linnen,
274,3 x 195,6 cm
Privécollectie

hoewel intussen het logische gevoel van ruimte bij de toeschouwer verward wordt, omdat –zoals in *Atelier met model* (afb. blz. 64) uit 1974– op de vloer staande en niet aan de wanden hangende doeken op verschillende beeldniveaus zijn geplaatst. Deze overlapping van schilderijen ontwikkelt zich later tot een vrijere, intuïtief georganiseerde pastiche-stijl met weinig verwijzingen naar bestaande plaatsen.

In een andere serie, de *trompe-l'oeil*-schilderijen, worden vele aspecten van Lichtensteins oeuvre gecombineerd (afb. blz. 50). De traditionele trompe-l'oeil-schilderkunst is een speciale vorm van stilleven, waarin wordt geprobeerd de kenmerken van een schilderij te omzeilen. Meestal worden voorwerpen als kleine instrumenten, foto's, ingelijste schilderingen, een speelkaart, kaften of een insekt op een zeer realistische manier op een plat vlak weergegeven. De trompe-l'oeil-kunstenaar moet een virtuoos schilder zijn, want hij wil de toeschouwer er immers toe bewegen om zijn schijnwereld als volstrekt geloofwaardig te beschouwen. Net als Lichtenstein werkte de traditionele trompe-l'oeil-schilder bij voorkeur met twee-dimensionale voorwerpen, omdat het weergeven van een werkelijk plat voorwerp een moeilijk probleem was. Geen ander onderwerp werpt zoveel vragen over de werkelijkheid op als een schildering in een schilderij. In de negentiende eeuw waren vooral Amerikaanse schilders actief in dit genre. Voor het eerst grijpt Lichtenstein terug op Amerikaanse kunstenaars als voorbeelden door werken van schilders als John F. Peto of William M. Harnett aan te halen. In *Dingen aan de wand* uit 1973 kan hij zulke onsamenhangende voorwerpen als een Léger-figuur, verfkwasten, hoefijzers (een verwijzing naar Harnetts *Gouden hoefijzer* uit 1886) en een houtnerf met elkaar combineren. De *trompe-l'oeil*-schilderijen zouden Lichtenstein later op heel natuurlijke wijze, door hun traditioneel samengestelde karakter, naar zijn ongeremde combinaties van stijlen en picturale voorwerpen voeren.

Net zoals de schilderijen uit de *Atelier*-serie zijn ook de stillevens uit het midden van de zeventiger jaren in gesloten ruimten geplaatst (vgl. afb. blz. 53-57). Ook hun composities zijn uitvindingen, typerend voor de kunstenaar die de voorwerpen zelf lijkt te hebben gerangschikt. Het gaat hier om de vroegste werken van Lichtenstein die naar de natuur werden gemaakt en niet op basis van postorder-catalogi of advertenties. Toch is het 'leven' hier op een gepaste manier doods. Hoewel de schilderijen huishoudelijke voorwerpen en inboedel laten zien, geplaatst op tafels, stoelen en bureaus, wordt er geen echt ruimtelijk gevoel overgebracht. Het gaat Lichtenstein er eerder om om de abstracte vormen die in het alledaagse voorwerp zijn te vinden, weer te geven. Als rasterpatroon gebruikt hij in de stillevens vaak arceringen die aansluiten bij de gewenste geometrische en lineaire vormen. In *Stilleven met opgevouwde doeken* uit 1976 levert dat bijvoorbeeld formele analogieën op tussen enerzijds de doeken en de lamellen van de kastdeur en anderzijds het raster.

In zijn surrealistische schilderijen van het einde van de zeventiger jaren gaf Lichtenstein het idee van een gesloten ruimte op en ging over op een pastiche-stijl. Kunstcritici hadden Lichtensteins werk inmiddels –bij gebrek aan een betere definitie– 'surrealistisch' genoemd, en volgens de kunsthistoricus Jack Cowart nam hij dit misverstand met zijn surrealistische serie bewust over. Het surrea-

lisme was een van de weinige moderne kunststromingen die door
Lichtenstein nog niet was aangehaald, en voor het eerst paste hij nu
vreemde stijlregels op zijn eigen thema's toe. (Zo verschijnen
bijvoorbeeld de rode lippen van de heldin uit een tiener-strip als los
zwevende of rechtopstaande organen tegen de achtergrond van het
schilderij. Zoals bekend, hadden de surrealisten afzonderlijke
menselijke organen als ogen of lippen vaak gebruikt vanwege hun
storende of erotische bijbetekenissen.) De officieel in 1924 door
André Breton in het leven geroepen surrealistische beweging propageerde een door het onderbewustzijn gevoede kunst. Dromen waren
zeer belangrijke bronnen voor deze kunstenaars, die de authenticiteit
eisten van de van academische regels en rationele beslissingen
bevrijde uitdrukking.

Lichtenstein nam een vergelijkbare intuïtieve en sterk op
verbeeldingskracht berustende houding aan en werd in zijn beeld-
opbouw minder strak. De op zijn minst merkwaardig te noemen
combinaties van figuren en raadselachtige vormen hebben inderdaad
iets van het oorspronkelijke, 'agressieve' gebrek aan logica van de
surrealisten, terwijl ze op het niveau van het onderbewuste in het
geheel niet verwarrend zijn. Sporen uit Lichtensteins vroegere werk
duiken in een nieuwe vorm op, slechts verbonden met elkaar door
speelse samenhangen tussen van vorm en ritme. Het geschilderde zelf
blijft duidelijk en definitief, terwijl het toch een nieuwe, vrolijke,
naar buiten gekeerde kwaliteit heeft.

In een schilderij als *Pow Wow* (afb. blz. 73) uit 1979 keren
enkele surrealistische vormen terug, gecombineerd met motieven van
de Amerikaanse Indianen. Het rechtopstaande oog en de lippen zijn
verbonden met tipi's en Indiaanse symbolen, dit alles ingebed in een
zee van arceringen. Deze combinatie is helemaal niet zo onwaarschijn-
lijk als ze op het eerste gezicht lijkt. Indiaanse afbeeldingen waren
immers vaak gebaseerd op visioenen en dromen, en in zoverre hebben
ze dezelfde bron als het surrealisme. De surrealistische schilder Max
Ernst werd zelfs beïnvloed door zijn contact met de cultuur van de
Hopi-indianen in Arizona. Wat betreft Lichtensteins esthetiek, lijkt
deze formeel verwant te zijn aan de heldere, vlakke, decoratieve
patronen van de Indiaanse kunst. Bovendien verwerkte Lichtenstein
in zijn vroege, kubistische schilderijen uit de vijftiger jaren thema's
uit het Amerikaanse westen, waaronder ook enkele Indiaanse onderwerpen. Per slot van rekening zijn de Indianen de enige echte
Amerikanen en hun kunst vormt een basis voor de Amerikaanse
cultuur die haar heeft verdrongen. Cowart geeft nog andere redenen
voor Lichtensteins fascinatie voor Indiaanse vormen: enkele van zijn
artistieke collega's, zoals Jasper Johns, Frank Stella en Donald Judd,
verzamelden Indiaanse dekens vanwege hun ontwerpen en Lichtenstein zelf leefde in de buurt van een reservaat van de Shinnecock-india-
nen op Long Island. Voor Lichtenstein bestaat er een analogie tussen
de Indiaanse kunst en de Afrikaanse kunst die het Europese kubisme
inspireerde. Door het gebruik van Indiaanse motieven onderstreepte
hij het stimulerende effect van oude en primitieve kunstvormen op
industriële culturen.

De enorme *Muurschildering met blauwe penseelstreek* (afb. blz. 91),
die Lichtenstein in 1986 voor de Equitable Tower maakte, haalt
—evenals de *Atelier*-schilderijen— behalve andere kunstenaars veel van

Roy Lichtenstein voor zijn
**Muurschildering met blauwe penseel-
streek, 1986**
Mural with Blue Brushstroke
22,3 x 10,8 m
New York, Equitable Tower

Imperfect Painting, 1986
Olieverf en magna op linnen,
284,5 x 426,7 cm
Privécollectie

zijn eigen werken aan; aan de andere kant formuleert deze zich in een nieuwe vorm. De deur, een deel van een spiegel en een architectuur-fries waren al in *Atelier, Kijk, Mickey* te zien. Maar met de muur-schildering beweegt Lichtenstein zich nog een stapje verder in de richting van de abstractie: hier worden namelijk afzonderlijke schilderijen verenigd in bouwelementen die zich tussen betekenis en vorm heen en weer bewegen. De strandbal uit 1961 wordt niet meer vastgehouden door een mooie, jonge vrouw, maar in plaats daarvan door een Léger-figuur in de lucht gegooid. Het bovenste deel van de bal is een opgaande zon in een landschap geworden, waarvan de glooiende heuvels door rasterpunten zijn verminkt. De vorm van een stuk Zwitserse kaas lijkt op een negatieve manier weerspiegeld te worden, maar tegelijkertijd ook te verwijzen naar de weelderige vormgeving van een Hans Arp of een Henry Moore. Werken van Jasper Johns, Frank Stella en Matisse, maar ook Art Deco-elementen en een klassieke tempel ontmoeten elkaar; een lang leven zal hen waarschijnlijk niet zijn beschoren, want een vrouwenhand staat op het punt de hele muurschildering met een spons weg te vegen. *Muurschildering met blauwe penseelstreek* is weliswaar een monumentale openbare opdracht, maar toch heeft Lichtenstein heel duidelijk zijn twijfels over de onsterfelijkheid van de kunst. Een enorme blauwe waterval –in feite een typische Lichtenstein-penseelstreek, maar dan zonder de gebruikelijke vormgeving– valt vanuit een hoek naar beneden, alsof hij de handeling van het uitwissen nog eens wil ondersteunen. Deze houding is zeer verhelderend. Met de *Muur-*

schildering had Lichtenstein de mogelijkheid om dagelijks honderden New Yorkers te bereiken, maar hij zag ervan af hun ook maar iets te leren. In plaats daarvan biedt hij hun een hedonistisch panorama van aardse onbeduidendheid.

Hoewel al deze elementen in het schilderij formeel met elkaar zijn verbonden, is het resultaat een pastiche. De uiteindelijke compositie ontstond met behulp van een collage-ontwerp, en ook dat wekt geen verbazing. Nadat tot de uiteindelijke rangschikking van de elementen was besloten, werden diapositieven van de collage gemaakt en op de muur van het gebouw geprojecteerd. Samen met zijn assistenten tekende Lichtenstein de contouren van de muurschildering over van deze diapositieven. Daarna werden de omtrekken met kleur ingevuld, waarbij het palet van de kunstenaar de laatste jaren was uitgebreid met krachtige tussentonen als grijs en oranje. In een brochure over de muurschildering van Calvin Tomkins zei Lichtenstein: "Mij bevalt het concept om vijf kleuren te gebruiken, zoals in stripverhalen. In de *Muurschildering* ga ik ongeveer achttien kleuren gebruiken. Op mijn oude dag ben ik zwak geworden en ik heb besloten om me een paar subtiliteiten te veroorloven, maar eigenlijk staat het me tegen." Lichtenstein was bezweken voor de verzoekingen van de kleur en kon daardoor definitief een reden voor de rasterpunten achterwege laten. Zijn oorspronkelijke wens om schilder te worden had gezegevierd over zijn bezwaren tegen kunst als een institutie.

Lichtensteins ontdekkingsreizen hebben hem niet uit het doolhof van de moderne kunst weggevoerd, maar bij zijn expedities heeft hij nieuwe en reeds ontdekte paden betreden. Wat misschien het belangrijkste is in Lichtensteins oeuvre, zijn de irriterende tegenstrijdigheden en de terughoudende humor. Na Lichtensteins uitbuiting van de bekende beeldenwereld blijft de toeschouwer achter met de vraag wat kunst in de twintigste eeuw eigenlijk nog kan zijn.

"… Het is moeilijk kunst in woorden uit te drukken. Woorden schieten altijd te kort. Ze lijken me onjuist wanneer ik ze later herlees. Maar niet helemaal onjuist. Kortom: men ziet het, of men ziet het niet." ROY LICHTENSTEIN

De uitgever dankt de musea, galeries, verzamelaars, archieven en fotografen voor de verleende toestemming tot reproduktie. Met name worden genoemd: de Leo Castelli Gallery, New York, die het ons mogelijk heeft gemaakt een groot deel van de afbeeldingen af te drukken, de Neue Galerie – collectie Ludwig, Aken en het Museum Ludwig, Keulen, en ook de fotografen Bob Adelman, Rudolph Burckhardt, Robert McKeever, Ann Münchow, Eric Pollitzer, Grace Sutton, Renata Tonsold, Kenneth E. Tyler en Dorothy Zeidman.
In het bijzonder gaat onze dank uit naar Roy Lichtenstein en zijn medewerkster Patricia Koch die het ontstaan van het boek met veel belangstelling hebben begeleid en ons met vele aanwijzingen vriendelijk terzijde hebben gestaan. Ten slotte bedanken we ook Shelley Lee voor haar persoonlijke inzet bij het verkrijgen van de afbeeldingen.

Roy Lichtenstein: een chronologie

1923-1938 Geboren in New York City als zoon uit een middenstandsgezin. Zijn vader werkt als onroerend-goedmakelaar. Eén zuster. Gelukkige jeugd. Bezoekt een privéschool waar kunst niet tot het vakkenpakket behoort. Begint als tiener voor zichzelf (thuis) te schilderen en te tekenen. Krijgt belangstelling voor jazz en bezoekt concerten in het Apollo Theater en op jazzclubs in 52nd Street; dit brengt hem tot het schilderen van portretten van jazzmuzikanten, vaak spelend op hun instrumenten. Neemt Picasso tot voorbeeld.

1939 Bezoekt het zomerseminar voor kunst van de Art Students League bij Reginald Marsh. Hij tekent modellen en typische straatbeelden van New York: Coney Island, straatfeesten, bokswedstrijden.

1940-1942 Voltooit de High School met de dringende wens om kunsten te studeren en kunstenaar te worden. Wegens de beperkte studiemogelijkheden verlaat hij New York en schrijft zich in aan de School of Fine Arts, Ohio State University (een van de weinige instellingen die ateliercursussen en een graad in de schone kunsten biedt).
Wordt daar sterk beïnvloed door professor Hoyt L. Sherman: "Kunst is goed geordende waarneming. Hij leerde me om de juiste weg te kiezen en te kijken." Werkt aan model en stilleven in de expressionistische kunst.

1943-1945 Militaire dienst in Engeland, Frankrijk, België en Duitsland. Natuurtekeningen met inkt, potlood en krijt. Verhuist na de oorlog naar Parijs. Korte studie van de Franse taal en cultuur aan de Cité Universitaire.

1946-1948 Keert terug naar de Ohio State University en zet zijn kunststudie voort onder G.I. Bill. Eindexamen in juni 1946. Begin van de 'Master of Fine Arts'-studie en aanstelling als leraar. Schildert voornamelijk geometrische, door het kubisme geïnspireerde halfabstracte werken.

1949-1950 Voltooit 'Master of Fine Arts'-studie aan de Ohio State University. Geeft les tot 1951. Trouwt in 1949 met Isabel Wilson (gescheiden in 1965). Exposeert in verschillende groepstentoonstellingen in de Chinese Gallery in New York. Eerste solo-tenstoonstelling in de Ten-Thirty Gallery, Cleveland, Ohio. Eerste solo-tentoonstelling in New York in de Carlebach Gallery.
In zijn werk algemene verwijzingen, op kubistische wijze, naar Americana, Frederic Remington en Charles W. Peale. Zijn werk wordt vrijer, expressionistischer.

1951 Hij bouwt objecten uit gevonden en bewerkt hout: paarden, ruiters, indianen. Soortgelijke thema's ook in zijn schilderijen, die heen en weer slingeren tussen expressionisme en kubisme.

1951-1957 Verhuist naar Cleveland. Daar werkt hij als grafisch en technisch tekenaar. Drie solo-exposities in de John Heller Gallery in New York. Geboorte van zijn beide zoons, David Hoyt (1954) en Mitchell Wilson (1956). Aanstelling als

Roy Lichtenstein, 11 jaar oud, zomer 1934 in Maine

Roy Lichtenstein, 9 maanden oud, 1924

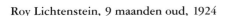

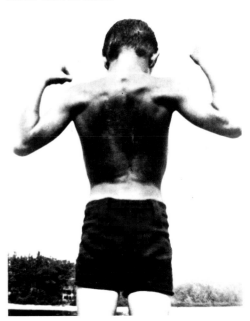

Roy Lichtenstein voor 'Spiegel', rond 1977
(Foto: Renata Tonsold)

assistent-professor voor kunst aan de New State University, Oswego.

1952-1955 Concentreert zich in zijn werk op typisch Amerikaanse onderwerpen. Houdt zich bezig met expressionisme, abstractie, beschilderde houtconstructies.

1956 Humoristische lithografie van een tien-dollarbiljet in rechthoekige vorm, dat als een echt betaalmiddel overkomt: proto-Pop.

1957-1960 Non-figuratieve, abstract expressionistische schilderijen. Soms tekeningen van stripfiguren (Mickey Mouse, Donald Duck enzovoort).

Roy Lichtenstein als soldaat in het 'Europese theater', 1945

Roy Lichtenstein, Dick Pollich en Dorothy Lichtenstein bekijken bij Tallix het

1958 Solo-tentoonstellimg in de Condon Riley Gallery, New York. Abstract expressionistische schilderijen.

1960 Aanstelling als assistent-professor aan de Rutgers State University, New Jersey. Verhuist naar Highland Park, New Jersey. Maakt kennis met Allan Kaprow, die daar eveneens werkt. Kaprow maakt hem vertrouwd met happenings en environments. Ontmoet Robert Watts, Claes Oldenburg, Jim Dine, Robert Whitman, Lucas Samaras en George Segal. Interesse voor proto-Pop bloeit weer op.

1961 Eerste Pop Art-schilderijen: cartoons met imitatie van industriële druktechniek. Licht veranderde stripseries,

aanbrengen van platina op 'Kop en schotel 2', augustus 1977

met potlood en olieverf direct op het gegronde doek geschilderd. Door middel van reclameplaatjes beeldt hij consumptie-artikelen en huishoudelijke voorwerpen uit. In de herfst biedt hij een groot deel van de nieuwe schilderijen aan de Leo Castelli Gallery in New York aan. Enige weken later ontdekt hij daar werken van Andy Warhol, die eveneens comics tot onderwerp hebben. (Castelli geeft de voorkeur aan Lichtenstein.)

1962 Solo-exposities in de Leo Castelli Gallery. Deelname aan de eerste belangrijke Pop Art-tentoonstelling: 'The New Paintings of Common Objects' in het Pasadena Art Museum, en aan de tentoonstelling 'New Realists' in de Sidney Janis Gallery te New York.

Roy en Dorothy Lichtenstein in hun keuken in Southampton, rond 1977

Roy Lichtenstein, eind veertiger jaren

Roy Lichtenstein in zijn atelier, 1985
Foto: Grace Sutton

Roy Lichtenstein in zijn atelier, 1985
Foto: Grace Sutton

Roy Lichtenstein in zijn atelier, 1988
Foto: Grace Sutton

1962-1964 Deelname aan de expositie 'Six Painters and the Object' in het Solomon R. Guggenheim Museum te New York. Solo-tentoonstellingen in: Leo Castelli Gallery; Ileana Sonnabend Gallery, Parijs; Ferus Gallery, Los Angeles; Il Punto Gallery, Turijn.
Krijgt een jaar verlof van de Rutgers University. Verhuist van New Jersey naar New York.

1964-1968 Geeft zijn betrekking aan de Rutgers University op en gaat zich volledig aan de schilderkunst wijden. Vele solo-exposities. Een retrospectief (1961-1967) in het Pasadena Art Museum, die aansluitend in Minneapolis, Amsterdam, Londen, Bern en Hannover te zien is. Trouwt met Dorothy Herzka.

1964-1965 Schilderijen en keramiekbeelden van vrouwenhoofden uit tienerstrips. Landschappen.

1964-1969 Schilderijen over monumentale architectuur.

1965-1966 Penseelstreek-serie. Explosies.

1966-1970 Moderne schilderijen, geënt op schilderijen uit de dertiger jaren.

1969 Werkt in februari twee weken lang in de Universal Film Studios in Los Angeles aan een film over zeelandschappen voor de tentoonstelling 'Art and Technology' in het Los Angeles County Museum of Art. Experimenteert in New York met film in samenwerking met Joel Freedman van Cinnamon Productions.
Overzichtstentoonstelling (1961–1969) in het Solomon R. Guggenheim Museum, aansluitend te zien in Kansas City, Seattle, Columbus en Chicago.
Exposeert op 'New York Painting and Sculpture: 1945-1970' in het Metropolitan Museum of Modern Art te New York.

1970 Verhuist naar Southampton, Long Island. Schildert vier grote penseelstreekmuurschilderingen voor de medische faculteit van de Universiteit van Düsseldorf. Wordt lid van de American Academy of Arts and Sciences.

1970-1980 Talloze solo-exposities in galeries. Hij maakt schilderijen die gezichtsbedrog *(Spiegels, Architectuurfriezen, Trompe-l'oeil)* en werken uit de kunstgeschiedenis (surrealisme, futurisme, expressionisme, *Ateliers*) weerspiegelen. Krijgt in 1979 zijn eerste opdracht voor een openbaar sculptuur van het National Endowment for the Arts ('Meermin') voor het Theatre of the Performing Arts in Miami Beach, Florida.

1979 Gekozen lid van de American Academy and Institute of Arts and Letters.

1981 Overzichtstentoonstelling met werk uit de zeventiger jaren, die is georganiseerd door het Saint Louis Museum en de Verenigde Staten, Europa en Japan aandoet.

1982 Naast zijn atelier in Southampton huurt hij een dakatelier in Manhattan.

1983 Schildert de *Greene Street-muurschildering*, Leo Castelli Gallery, 142 Greene Street, New York.

1986 Onthulling van de *Muurschildering met blauwe penseelstreek* in de hal van het Equitable Life Assurance Society Building in New York.

1987 Overzichtstentoonstelling van tekeningen in The Museum of Modern Art, New York (in 1988 ook in Frankfurt).